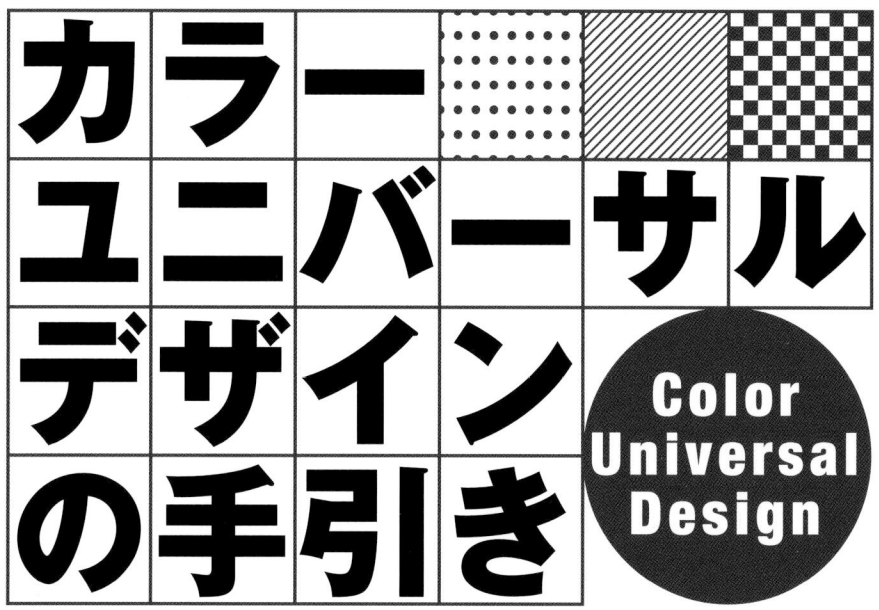

カラーユニバーサルデザインの手引き

Color Universal Design

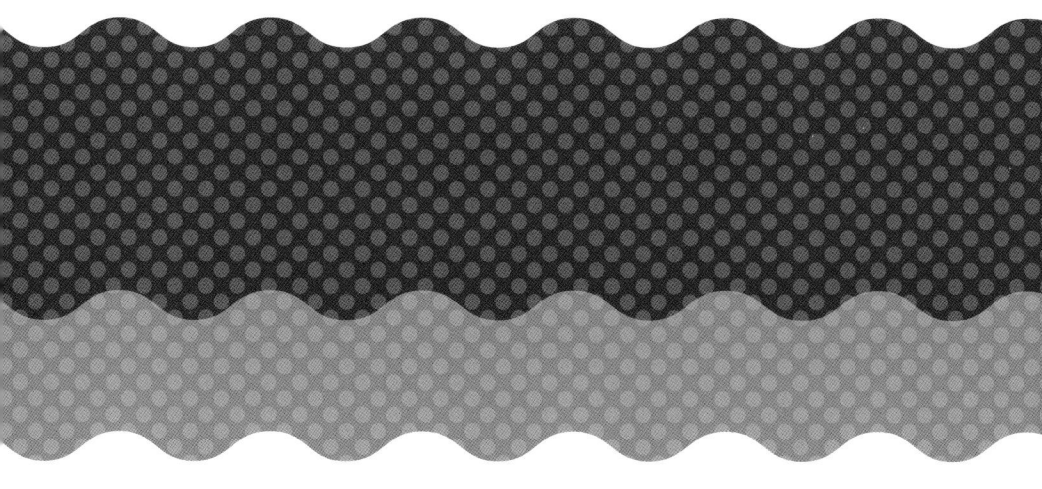

教育出版

目次

第1章　なぜCUDなのか
いろいろな色の見え方 …………………………………… 6
色弱者の見え方 …………………………………………… 8
カラーユニバーサルデザインとは ……………………… 10
コラム　「バリアフリー新法」と「バリアフリー整備ガイドライン」について …… 12

第2章　CUDのポイント
カラーユニバーサルデザインの3つのポイント ……… 14
配色の工夫1　　見分けやすい配色とは ……………… 16
配色の工夫2　　濃淡の組み合わせ …………………… 18
配色の工夫3　　誤解のない配色の仕方 ……………… 20
色以外の情報1　文字や線を太くする ………………… 22
色以外の情報2　形で表す ……………………………… 24
色以外の情報3　ハッチング（地紋）処理をする …… 26
色以外の情報4　境界線とフチどり …………………… 28
色の名前　　　　色名を添える ………………………… 30
コラム　淡色を使用する場合の工夫 …………………… 32
　　　　CUDO（クドー）とは ………………………… 32

第3章　CUDの実践例

- Ｐ型・Ｄ型の強度と弱度 ·· 34
- 文字の彩色 ·· 36
- 目次やインデックスの彩色-Ⅰ ··· 38
- 目次やインデックスの彩色-Ⅱ ··· 40
- 地図の彩色 ·· 42
- 図形の彩色 ·· 44
- グラフの彩色-Ⅰ　円グラフ ·· 46
- グラフの彩色-Ⅱ　帯グラフ ·· 48
- グラフの彩色-Ⅲ　棒グラフと折れ線グラフ ························· 50
- グラフの彩色-Ⅳ　線グラフ ·· 52
- コラム 公共物などを提示する場合 ·· 54
-         撮影の際の注意 ·· 54

第4章　資料編

- 制作物を修正するとき ··· 56
- シミュレーション方法 ··· 57
- チェック方法 ·· 58
- 代表的な見分けにくい色のシミュレーション例 ······················ 60
- カラーユニバーサルデザイン推奨配色セット ························· 61
- 可読性の高い配色例 ·· 62
- その他の参考例 ··· 63

第 1 章

なぜCUDなのか

◯ いろいろな色の見え方

　ヒトの目の網膜には色を感じる視細胞があり，この働き方によって，色覚はいくつかのタイプに区分することができます。そして，色覚のタイプのうちある色覚型の人は，配慮が不十分な社会では情報弱者となりうることから，CUDO（クドー・NPO法人カラーユニバーサルデザイン機構：p.32参照）では「色弱者」と呼ぶことを提唱しています。

　色弱者は，日本人の男性の約5％を占めています。（女性では数百人に1人。）例えば，400人規模の学校で男女同数と仮定すると，10人くらいの色弱の子どもがいることになります。多くは遺伝によるものですが，病気や事故による目の疾患などで色覚に変化が生じることもあります。

　色弱者の色覚型は見え方の違いにより，P型（1.5％），D型（3.5％），T型（0.001％），A型（0.001％）に区分できます。さらに，P型とD型には"強"と"弱"があります。これに対し，一般的な色覚のことを「一般色覚」，またはC型と呼んでいます。

　近年，より多くの色覚型の人に不便を感じさせないような色づかい，カラーユニバーサルデザイン＝CUD（Color Universal Design）に配慮する重要性が認識されています。特に教科書などでは，学習理解の公平さを保つために十分な配慮が求められます。

CUDOの新呼称		従来の呼称		
C型	一般色覚者	正常色覚		
P型（強・弱）	色弱者	第1	色盲，色弱，色覚異常，色覚障害	赤緑色盲
D型（強・弱）	色弱者	第2	色盲，色弱，色覚異常，色覚障害	赤緑色盲
T型	色弱者	第3	色盲，色弱，色覚異常，色覚障害	黄青色盲
A型	色弱者	全色盲		

この本での呼び方

□ 色の見える仕組み

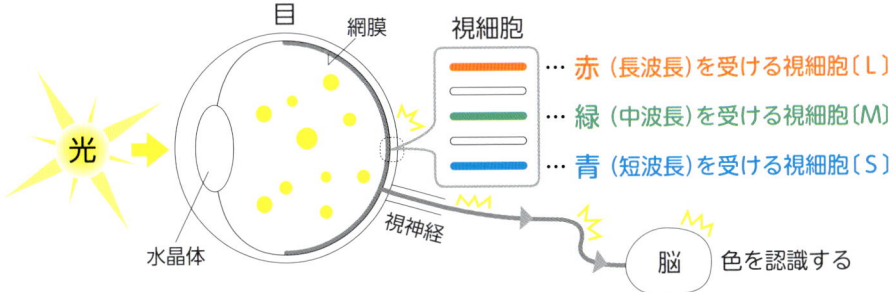

　ヒトの目の仕組みはカメラに似ています。レンズの役割をする水晶体から入った光は，目の奥にある網膜に映ります。そこにある視細胞が赤，緑，青の光の波長の刺激を受けると，それが電気信号になって脳に伝わり，色を認識するのです。
　この３つの視細胞の，どれかの機能の特性が異なると，色の見え方は変わります。
　赤の波長を受ける視細胞がない，あるいは特性が異なるのがP型（第１色弱）で，緑の波長を受ける視細胞がない，あるいは特性が異なるのがD型（第２色弱）です。この２つの色覚型は，赤〜緑の波長域での色の差を感じにくくなります。青の波長を受ける視細胞がない，あるいは特性が異なるのがT型（第３色弱）で，黄〜青の波長域で色の差を感じにくくなります。

□ 色弱者が見過ごされてきた理由

　色弱者であることは，第三者からはわかりませんし，自分自身でも気づかないことがあります。また，社会経験の少ない子どもたちが，気づいてもそのことを周囲に言い出せず，気おくれすることも想像に難くありません。

□ 色の見え方の異なる人への配慮

　遺伝による色弱者以外にも，網膜の疾病にかかったりして，色で不自由な思いをしている人は多数います。例えば白内障患者の見え方はクリーム色のフィルター越しのようになり，弱視者の場合はコントラストの程度に配慮が必要になります。
　多様な受け手を想定した色づかいが求められます。

☐ 色弱者の見え方

トイレマーク（水色とピンク）

［一般色覚者：C型］

［色弱者：P型強］

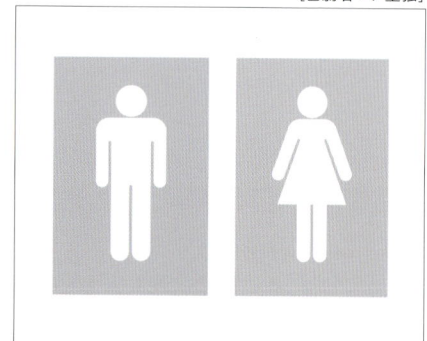

LEDランプ（黄と緑）

［一般色覚者：C型］

［色弱者：P型強］

> シミュレーション画像は色弱者の色の見分けにくさを理解するためのもので、色の見え方を再現したものではありません。色弱者も色の見え方はさまざまです。ここでは強度の色弱者の見分けにくさを表しています。詳しくはp.34を参照。

案内の矢印（赤）

[一般色覚者：C型]

[色弱者：P型強]

体育館のコート（緑・赤）

[一般色覚者：C型]

[色弱者：D型強]

　ふだんあたりまえに使用している色が、色覚のタイプによっては見分けにくくなることがわかります。カラーユニバーサルデザインに配慮することで、より多くの人に同じ情報が伝わるようになります。

9

☐ カラーユニバーサルデザインとは

カラーユニバーサルデザイン（CUD・シーユーディー）とは，「色」の「ユニバーサルデザイン（UD・ユーディー）」のことです。

「ユニバーサルデザイン」は，アメリカのノースカロライナ州立大学ロナルド＝メイス博士（1941-1998）が提唱したもので，「製品や環境のデザインを，全ての人が使いこなせるものとすることをめざす概念」を意味します。

この「ユニバーサルデザイン」の中の「色による情報伝達」に関するものを「カラーユニバーサルデザイン」と呼びます。

例えば，契約書の，契約者にとって不利になる可能性を示した条項の記述や，製品の取扱説明書の，けがをしないための扱い方に関する記述などは，誰が見てもわかりやすいものにしなくてはなりません。従来，このような読み手の注意を引くべき箇所には，強調色として赤色（マゼンタ）が使われることが多かったのですが，色覚のタイプによってはめだちにくく，見落としてしまう可能性がありました。重大な注意事項などでは，全ての人が容易に認識でき，理解できる色づかいにする必要があります。

カラーユニバーサルデザイン＝CUDを心がけることによって，情報を公平に伝達し，共有することができます。

☐ 誰のためのデザイン（意匠）なのか？

誰に見てほしいのか，何を伝えたいのか。

CUDは，「一部の色弱者のためだけの特殊なデザインで，一般の人には見にくい」というものでは決してありません。伝えたい内容を整理し，多様な色覚での見え方を意識したデザインは，誰にとっても見分けやすいものになります。

色覚特性に関係なく全ての色覚者に使いやすいデザイン

多くの人にとって「整理された見やすいデザイン」

□ **教育現場での配慮**

　教育現場では，色による気づきの差や学びの差が生じないよう配慮し，1つだけでなくいくつかの方法で情報を伝えるようにすることなどが大切です。

- クラスには必ず色弱者の児童・生徒がいるという意識をもつ。
- 色は見分けられても，色の名前を（自信をもって）言えない児童・生徒がいることを意識する。
- 資料を見せるときなど，状況に応じて児童・生徒に色名を告げる。
- 色名を告げて何かを指し示す場合，具体的に位置を示したり，形の特徴や明るさの違いなども説明したりする。
- 児童・生徒のグループに色をつける場合，配色に留意する。
  （例えば，赤組と緑組は，同じ色のように見えやすい。）

色による **気づきの差**
＝
情報の差
とならないように

「バリアフリー新法」と「バリアフリー整備ガイドライン」について

　2006（平成18）年12月20日「高齢者，障害者等の移動等の円滑化の促進に関する法律」（バリアフリー新法）が施行されました。

　この法律に基づき，翌2007（平成19）年7月には「公共交通機関の旅客施設に関する移動等円滑化整備ガイドライン」（バリアフリー整備ガイドライン）が示され，この中で高齢者，障害者だけでなく，妊婦やけがをしている人，そして色弱の人なども「バリアフリー新法」の対象であることが示されました。

　例えば，「誘導案内設備に関するガイドライン」の項目では，色覚障害者（この法律では，「色弱者」ではなく「色覚障害者」という言葉を用いています）への配慮事項として，留意すべき色の選択例，見分けにくい色の組み合わせ例なども具体的に例示されています。
　また，光の反射や，背景の照明などにより見にくくならないように配慮する，ということにも言及しています。

　「バリアフリー新法」は，主に公共交通機関（鉄道，バス，船，航空機など）の旅客施設に対するものですが，この法律にあと押しされる形で，地方公共団体の施設や人が多く集まる施設なども率先してバリアフリーに取り組み，カラーユニバーサルデザインに配慮するようになってきました。
　呼称はそれぞれ異なりますが，多くの自治体がカラーユニバーサルデザインのガイドラインやマニュアルを策定して，ホームページなどで公開しています。

第2章
CUDのポイント

☐ カラーユニバーサルデザインの3つのポイント

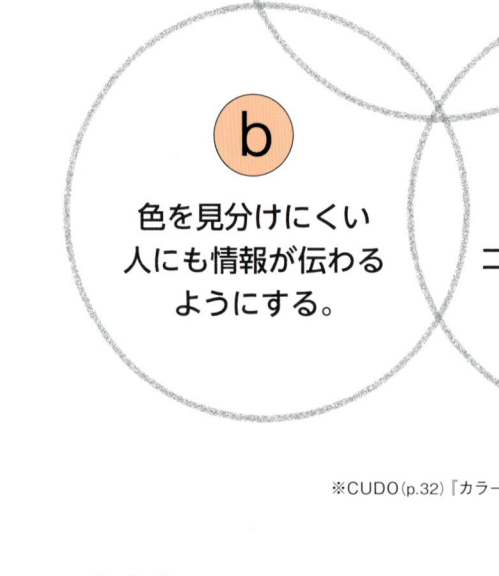

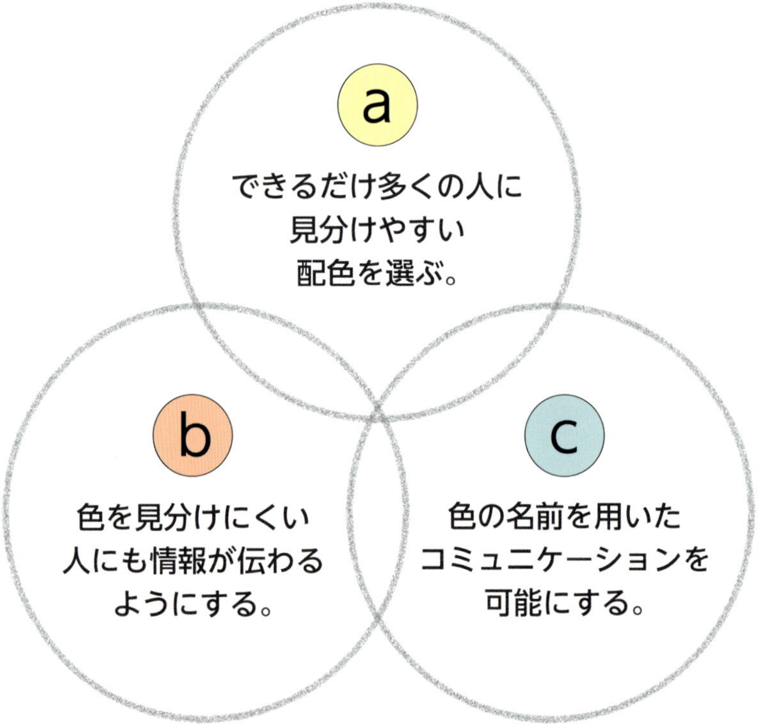

※CUDO(p.32)『カラーユニバーサルデザイン検証合格基準2011版』より。

　この ⓐⓑⓒ のうち最低1つのポイントがみたされていればよいという場合もありますが，対象年齢や内容によっては相応の配慮が求められます。

　本書では，CUDに配慮する方法を説明する箇所には，上記3つのポイントのどれに関係するかを ⓐⓑⓒ のマークで付記しています。

改善前 → 改善後

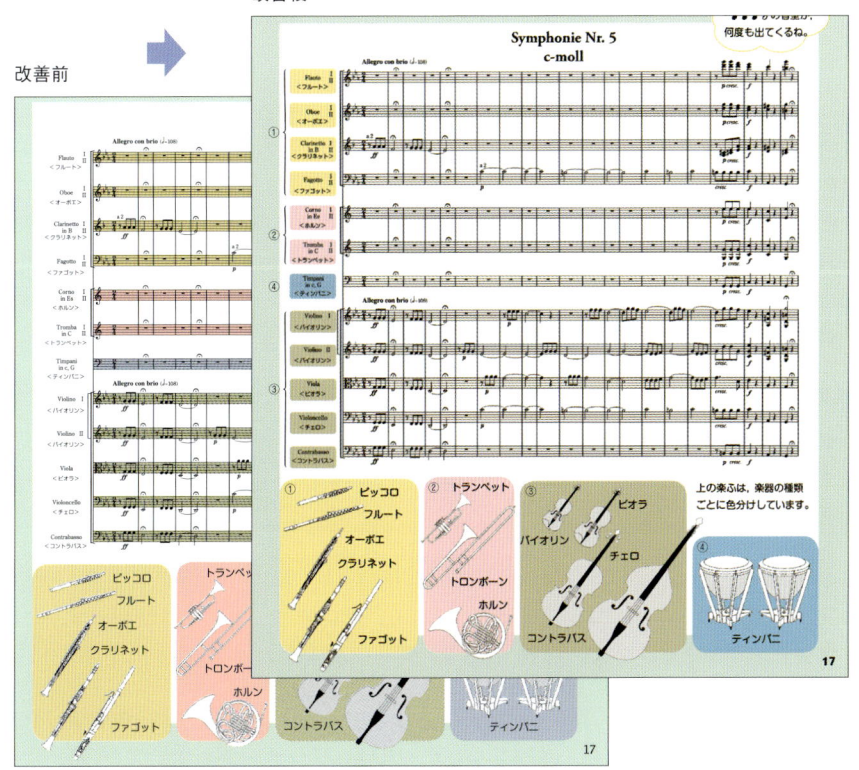

このように改善していきます。

ⓐⓑ

・五線譜につけた色を外して，左の楽器名に色をつける。
・楽器の種類ごとに分けた色を，どの色覚タイプにも見分けやすいよう調整する。
・楽器の種類ごとに，丸数字をつけたす。

ⓐ 配色の工夫1
見分けやすい配色とは

　色覚特性を考慮した見分けやすい配色にするには，青みと黄みの差を対比させたり，同色系で濃淡の差をつけたりすると効果的である。
　例えば，黄緑①とオレンジ②は見分けにくいが（右ページ参照），黄緑の青みを増やし③，オレンジの黄みがめだつように赤みを減らす④ことで，色の違いがわかりやすくなる。
　濃淡の差については，p.18で説明する。

【色の違いがわかりにくい配色の例】
- 濃い赤・マゼンタ・深緑・こげ茶・黒
- 明るい茶色・オレンジ・黄緑・黄土色（おうど）
- 濃い青・紫
- 薄いグレー・薄いピンク・薄い水色・薄い青緑　など

　文字を強調する際は，黒と見分けがつきにくい濃い赤やマゼンタは使用せず，どの色覚タイプでも見分けやすい赤橙（あかだいだい）や明るい青を使用する。

　色の区別をわかりやすく見せるためには，なるべく面積を大きくすると色を感じやすい。見分けやすい配色でも，面積が小さかったり，グラデーションをつけてあったりすると，色の違いがわかりにくくなることがある。また，色覚のタイプによらず，背景や隣り合う色との関係によって，色の感じ方は変化する。

　一般的に，一度に見分けのつく色の数は5色程度であることも考慮する。

文字を強調する　step1
〔見分けやすい配色にする〕

◆強調色を赤橙や明るい青にする。

例：信号に注意する
(M100, Y100)

→ 信号に注意する
(M75, Y100)

→ 信号に注意する
(C100, M50)

step2
p.22

16

黄緑①とオレンジ②のシミュレーション例

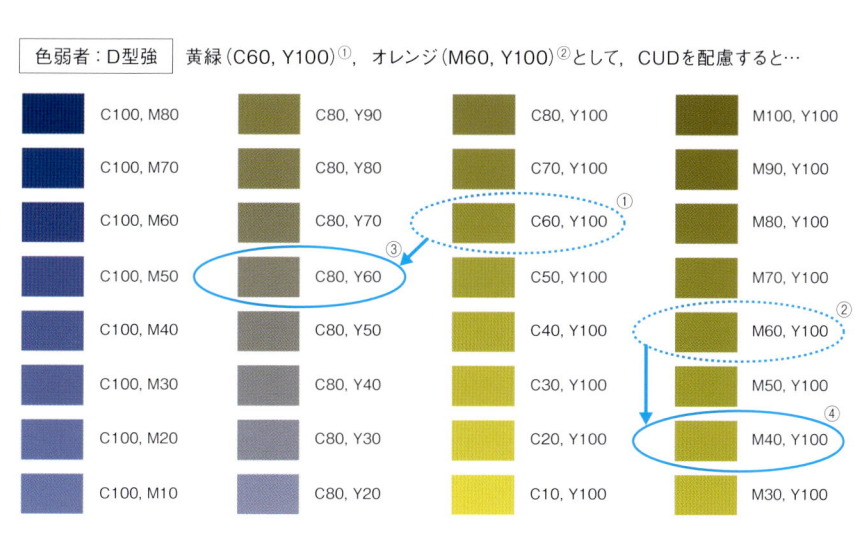

一般色覚者：C型

■	C100, M80	■	C80, Y90	■	C80, Y100	■	M100, Y100
■	C100, M70	■	C80, Y80	■	C70, Y100	■	M90, Y100
■	C100, M60	■	C80, Y70	■	C60, Y100 ①	■	M80, Y100
■	C100, M50	■	C80, Y60 ③	■	C50, Y100	■	M70, Y100
■	C100, M40	■	C80, Y50	■	C40, Y100	■	M60, Y100 ②
■	C100, M30	■	C80, Y40	■	C30, Y100	■	M50, Y100
■	C100, M20	■	C80, Y30	■	C20, Y100	■	M40, Y100 ④
■	C100, M10	■	C80, Y20	■	C10, Y100	■	M30, Y100

色弱者：D型強

黄緑（C60, Y100）①，オレンジ（M60, Y100）②として，CUDを配慮すると…

■	C100, M80	■	C80, Y90	■	C80, Y100	■	M100, Y100
■	C100, M70	■	C80, Y80	■	C70, Y100	■	M90, Y100
■	C100, M60	■	C80, Y70	■	C60, Y100 ①	■	M80, Y100
■	C100, M50	■	C80, Y60 ③	■	C50, Y100	■	M70, Y100
■	C100, M40	■	C80, Y50	■	C40, Y100	■	M60, Y100 ②
■	C100, M30	■	C80, Y40	■	C30, Y100	■	M50, Y100
■	C100, M20	■	C80, Y30	■	C20, Y100	■	M40, Y100 ④
■	C100, M10	■	C80, Y20	■	C10, Y100	■	M30, Y100

a 配色の工夫2
濃淡の組み合わせ

　濃度が近い配色は同じような色（同じ明るさ）に見えやすい。明るさや鮮やかさなどの濃淡でコントラストをつけると，見分けやすくなる。
　また，隣り合う色によっても，色の見え方が変わることがあるので注意する。

　白黒でコピーをして，見分けやすいものになっていればよい。

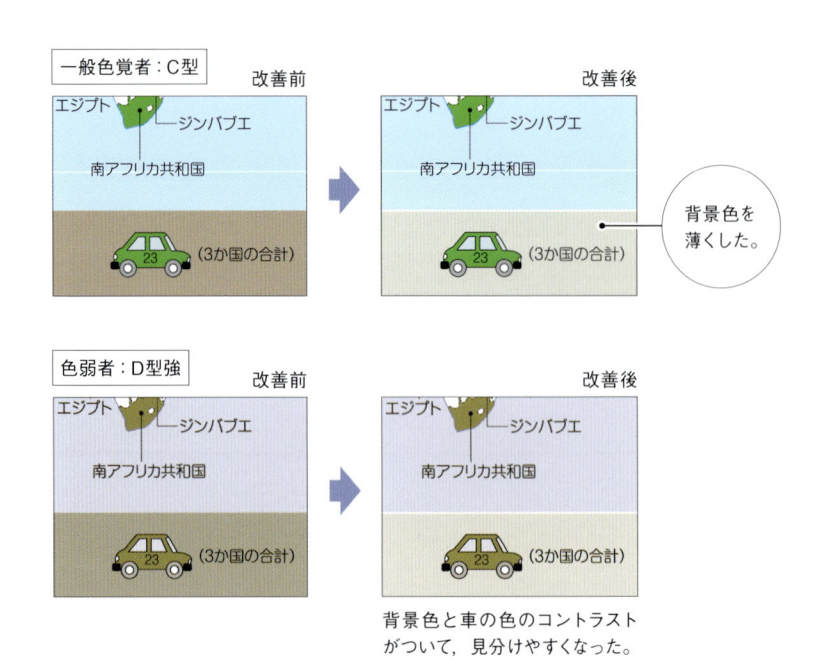

一般色覚者：C型　改善前 → 改善後

背景色を薄くした。

色弱者：D型強　改善前 → 改善後

背景色と車の色のコントラストがついて，見分けやすくなった。

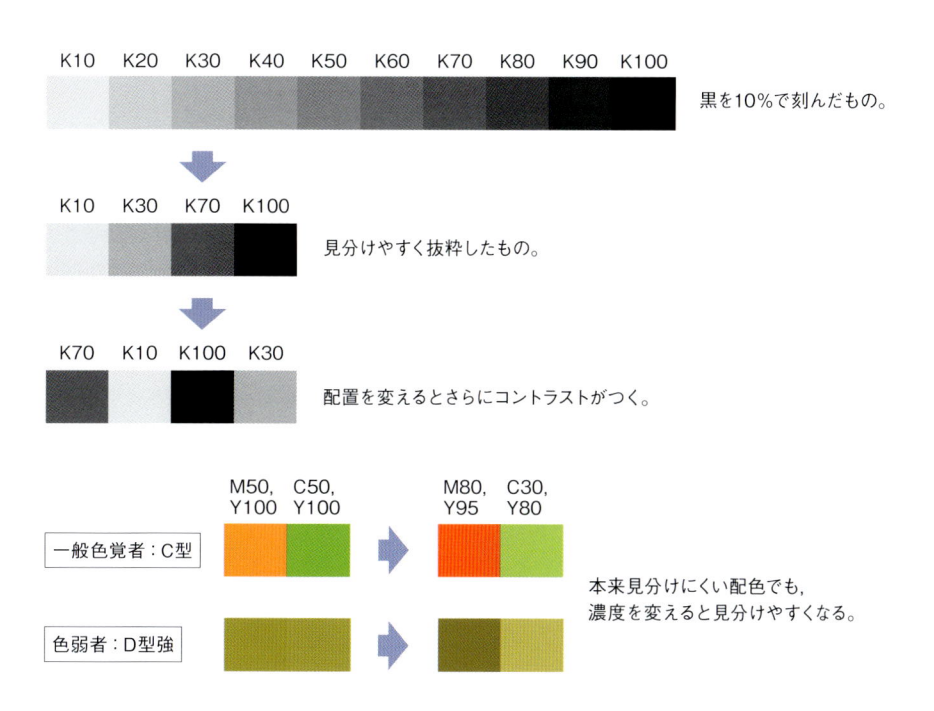

| K10 | K20 | K30 | K40 | K50 | K60 | K70 | K80 | K90 | K100 |

黒を10%で刻んだもの。

| K10 | K30 | K70 | K100 |

見分けやすく抜粋したもの。

| K70 | K10 | K100 | K30 |

配置を変えるとさらにコントラストがつく。

	M50, Y100	C50, Y100		M80, Y95	C30, Y80
一般色覚者：C型					
色弱者：D型強					

本来見分けにくい配色でも，濃度を変えると見分けやすくなる。

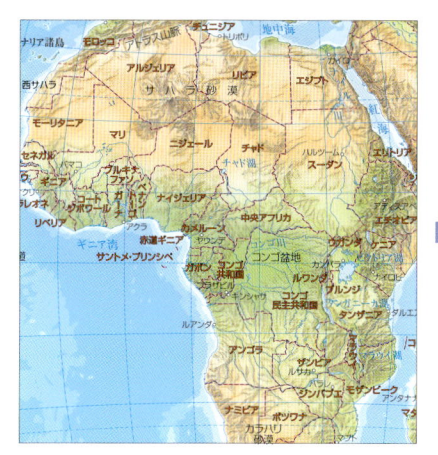

砂漠を表す茶色とその他の緑が，色弱者には同じ色に見えやすい。

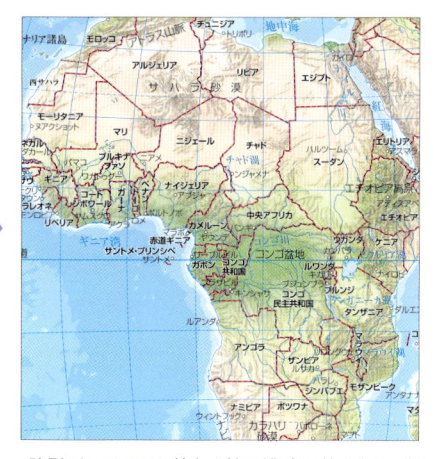

陰影がめだつよう着色を控え濃淡の差を出し，緑に青みをもたせるなどの色調整をして見分けやすくした。

a 配色の工夫3
誤解のない配色の仕方

　装飾的に色を多用して配色すると，色覚型によっては，色分けのグループがあると認識してしまう場合がある。

　飾りとしての色づかいなのか，色によって情報を伝えたいのか，十分に意識して色を選ぶ必要がある。

　例えば，2〜4色程度の色を周期的に繰り返すことで，飾りとして認識しやすくできる。

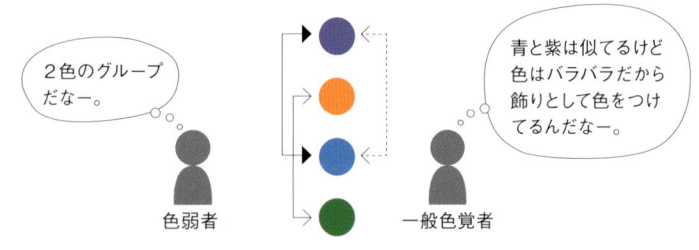

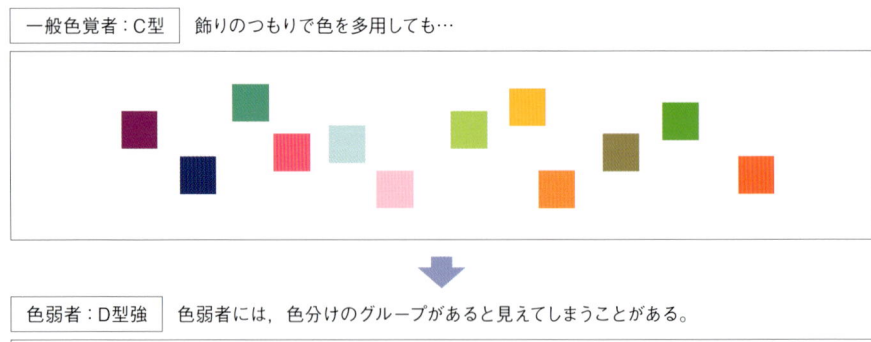

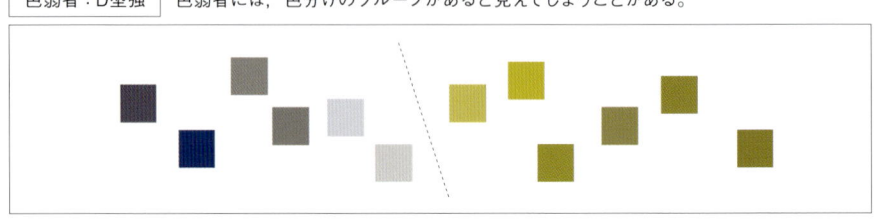

色弱者：「2色のグループだなー。」

一般色覚者：「青と紫は似てるけど色はバラバラだから飾りとして色をつけてるんだなー。」

一般色覚者：C型　飾りのつもりで色を多用しても…

色弱者：D型強　色弱者には，色分けのグループがあると見えてしまうことがある。

かける数とかけられる数の1〜9に,それぞれ違う色が彩色されている。
このように色でヒントを示すと,色覚のタイプによっては「気づき」に差が出てしまう。

九九の表

	かける数								
	1	2	3	4	5	6	7	8	9
1	1	2	3	4	5	6	7	8	9
2	2	4	6	8	10	12	14	16	18
3	3	6	9	12	15	18	21	24	27
4	4	8	12	16	20	24	28	32	36
5	5	10	15	20	25	30	35	40	45
6	6	12	18	24	30	36	42	48	54
7	7	14	21	28	35	42	49	56	63
8	8	16	24	32	40	48	56	64	72
9	9	18	27	36	45	54	63	72	81

（かけられる数）

次の□にあてはまる数の見つけ方を考えましょう。 6×□=24

◆九九の表を使って…

ゆみ

⬇

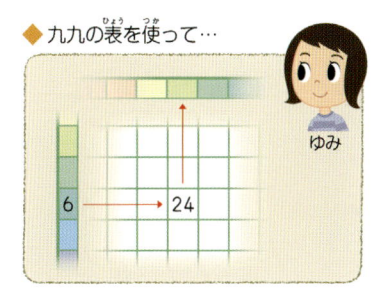

シンプルな彩色にすることで,公平さを確保することができる。

九九の表

	かける数								
	1	2	3	4	5	6	7	8	9
1	1	2	3	4	5	6	7	8	9
2	2	4	6	8	10	12	14	16	18
3	3	6	9	12	15	18	21	24	27
4	4	8	12	16	20	24	28	32	36
5	5	10	15	20	25	30	35	40	45
6	6	12	18	24	30	36	42	48	54
7	7	14	21	28	35	42	49	56	63
8	8	16	24	32	40	48	56	64	72
9	9	18	27	36	45	54	63	72	81

（かけられる数）

次の□にあてはまる数の見つけ方を考えましょう。 6×□=24

◆九九の表を使って…

ゆみ

21

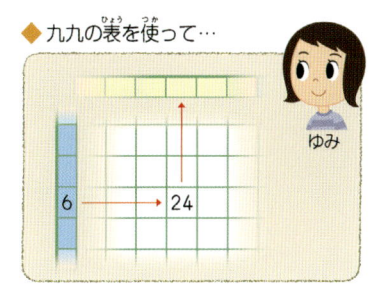

ⓑ 色以外の情報1
文字や線を太くする

　文字や線を太くすると，よりはっきりと見せることができるので，色のみに頼ることなく情報を強調して伝えることができる。
　罫線(けいせん)に彩色する場合は，0.4mm以上の線幅があることが望ましい。太くすることで色も感じやすくなる。
　また，線種を変えることでさらに見分けやすくなる。

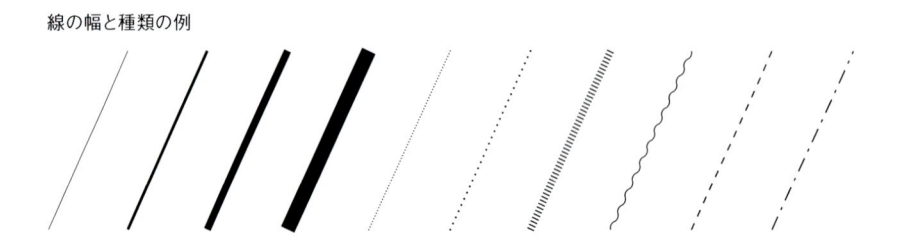

線の幅と種類の例

文字を強調する　step 2
〔文字や線を太くする〕

◆ 太くしたり，大きくしたりする。

例：信号に注意する
　　　リュウミンM／15Q

→ 信号に注意する
　　リュウミンEH／15Q

→ 信号に注意する
　　リュウミンEH／17Q

step 3
p.24

22

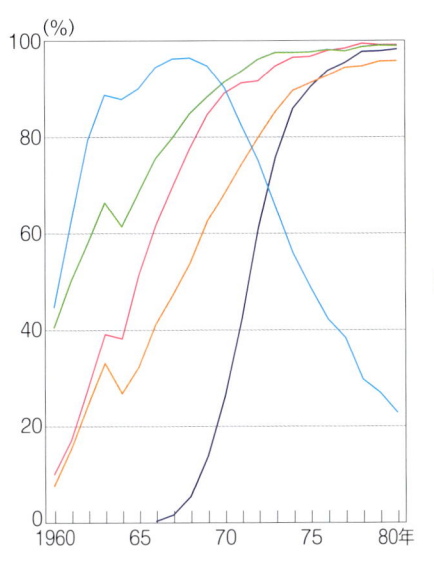

色覚のタイプによっては，5つの色が認識しにくい。

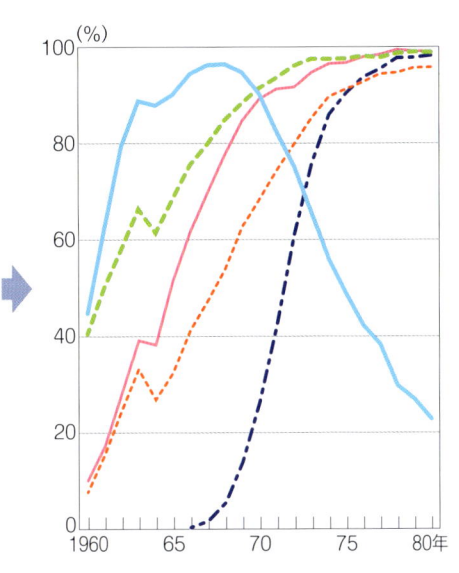

色だけでなく，線種や線幅にも違いをもたせている。

「禁止」が赤文字になっていることがわかりにくい。

強調文字を太く大きくし，フチどり（p.28参照）をつけた。

ⓑ 色以外の情報2
形で表す

形やマークを変えることで，情報の種類を見分けやすくすることができる。

形やマークは，大きさによってもその違いが判別しやすかったりしにくかったりするので，より違いの出るように留意する。

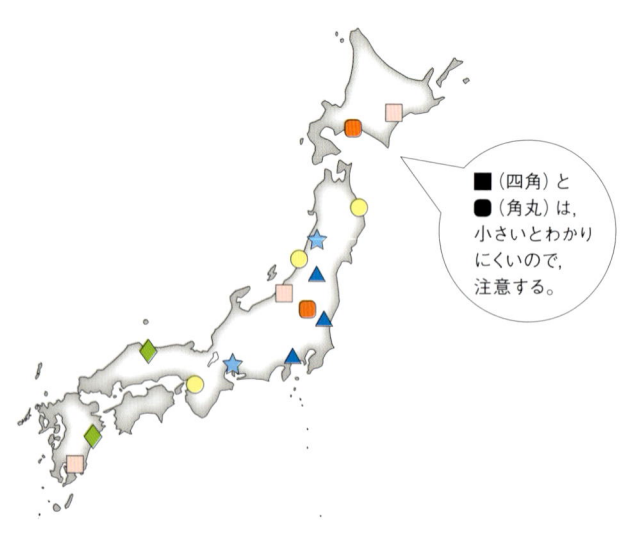

■（四角）と
●（角丸）は，
小さいとわかり
にくいので，
注意する。

文字を強調する　step3
〔形で表す〕

◆ フォントを変えたり，下線をつけたりする。

例：信号に<u>注意</u>する
リュウミンR／15Q

信号に<u>注意</u>する
新ゴB／16Q

信号に<u>注意</u>する
新ゴM／15Q

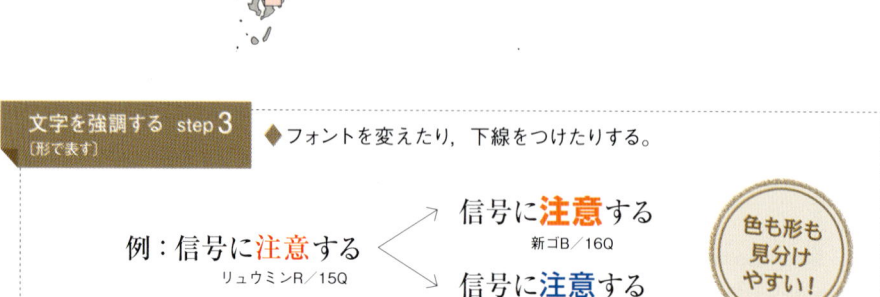

色も形も
見分け
やすい！

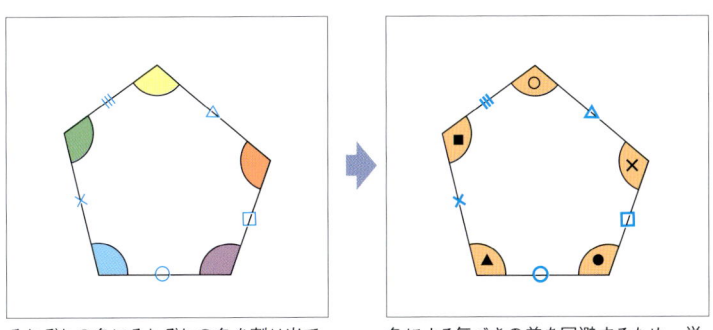

それぞれの角にそれぞれの色を割り当てている。

色による気づきの差を回避するため，単色にし，マークを割り当てている。

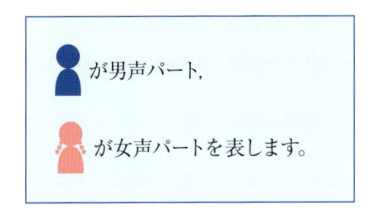

が男声パート，

が女声パートを表します。

色の違いもわかり，形も異なっているので更にわかりやすい。

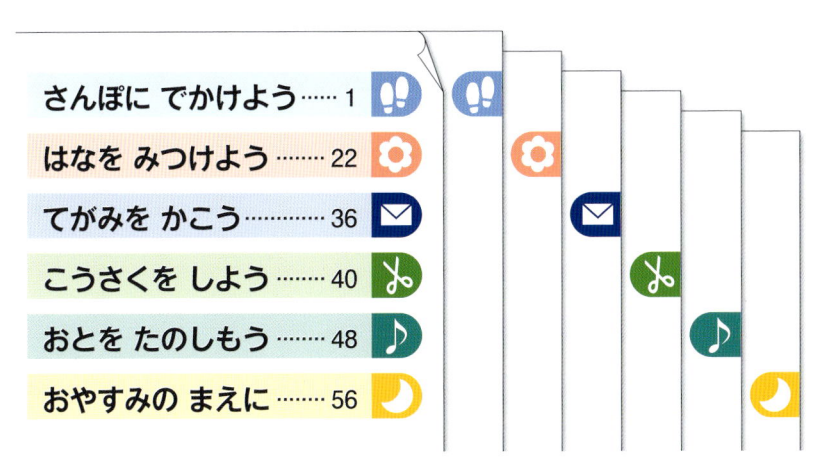

さんぽに でかけよう	…… 1
はなを みつけよう	…… 22
てがみを かこう	…… 36
こうさくを しよう	…… 40
おとを たのしもう	…… 48
おやすみの まえに	…… 56

インデックスにマークをつけることで，色以外でも識別しやすくなっている。

b 色以外の情報3
ハッチング（地紋）処理をする

ハッチング（地紋）処理を加えることでも，見分けやすくすることができる。

地図やグラフなどのように，塗りつぶす面積が確保されている場合に効果的な方法である。また，彩色する面積がそれぞれ異なる場合は，小さい面積のところに濃い彩色やハッチング処理をすると効果的である。

ハッチング処理された部分は，他よりめだちやすくなる。一方で処理の仕方によっては，模様自体が地に溶け込んでしまうので注意が必要である。

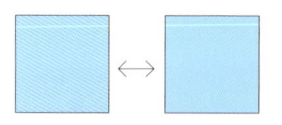

細かすぎるハッチングは，塗りつぶしのように見えてしまう。

ハッチングの大きさや，コントラストのかげんが重要。

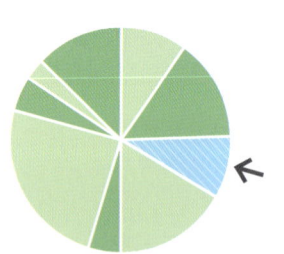

2色の濃淡で展開し，めだたせたい箇所のみ，色を変えてハッチング処理をした。

ハッチングの種類の例

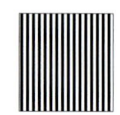

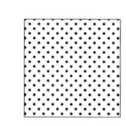

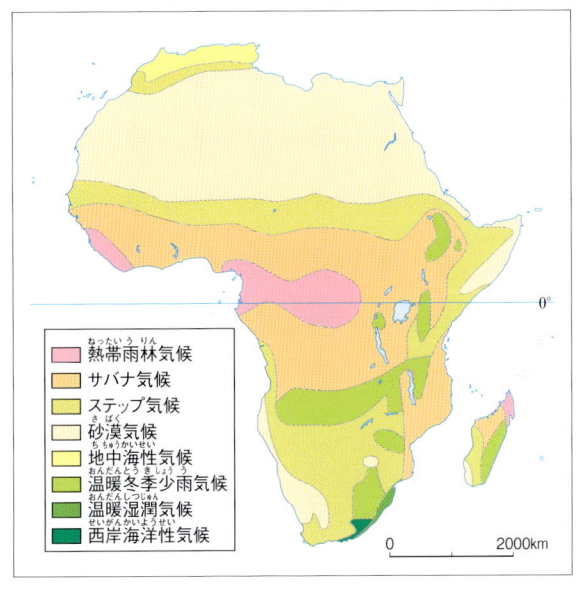

色で見分けられるように心がけたが、色以外にも確実な情報を加えたい。

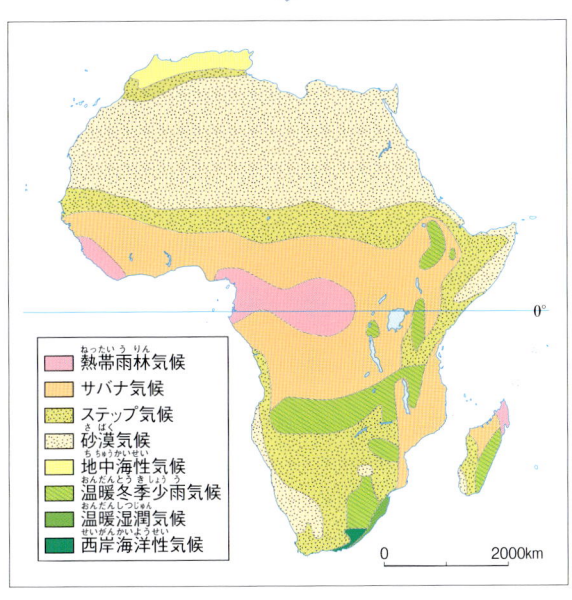

凡例：
- 熱帯雨林気候
- サバナ気候
- ステップ気候
- 砂漠気候
- 地中海性気候
- 温暖冬季少雨気候
- 温暖湿潤気候
- 西岸海洋性気候

ハッチング処理をしたことで、見分けやすさが更に向上した。

b 色以外の情報4
境界線とフチどり

隣り合う色との間に，コントラストのある色（白や黒など）の境界線を入れたり，フチどりをしたりすると見分けやすくなる。

引き出し線なども，白フチをつけるとより識別しやすくなる。

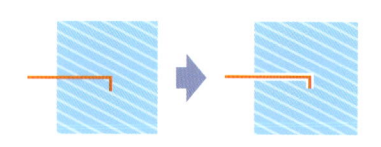

引き出し線がめだたない。

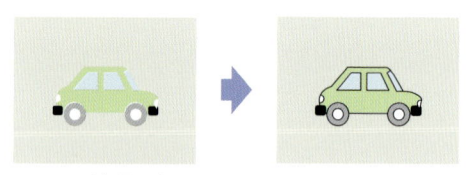

イラストが背景に溶け込んでいる。

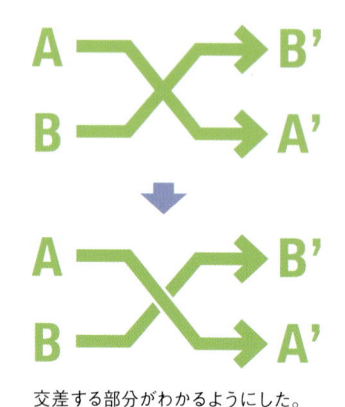

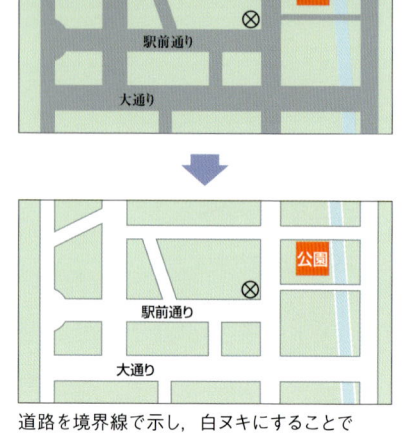

交差する部分がわかるようにした。

道路を境界線で示し，白ヌキにすることでより見やすくなった。

背景に文字が溶け込んでいる。

文字に白フチをつけて，更に色を調整した。

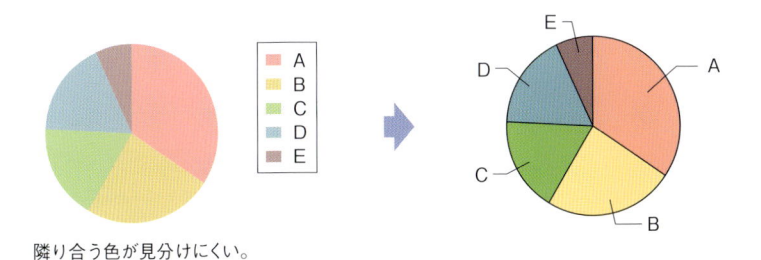

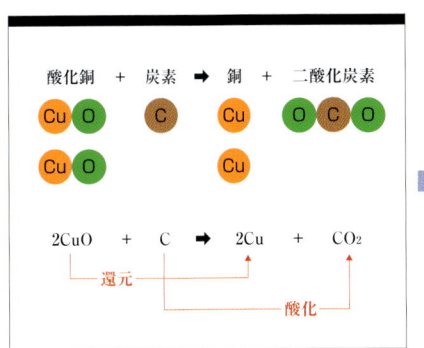

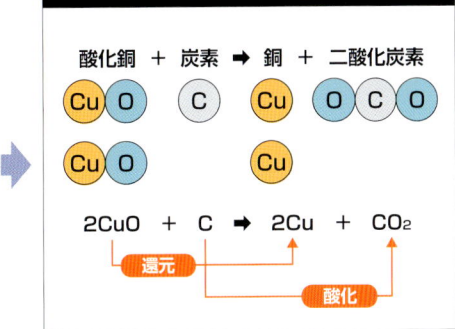

隣り合う色が見分けにくい。

C 色の名前

色名を添える

色で情報を伝えるとき，その色名を付記することも大変有効である。

色弱者にとって，ある色を「○○色」と特定することが困難な場合がある。個々人の色彩に関する経験や知識によっても色の名前に差が出るため，なるべく一般的な色名を使用する。

色名を明記することによって，コミュニケーションを円滑化できる。

例えば，写真やイラストなどの一部を取り上げ説明する際には，色名を添える。

色名を用いて説明することは，一般的に何色と呼ばれているかを知る手がかりにもなる。

この赤い花びらは，…

色覚のタイプによっては花びらが黒く見えてしまう花→

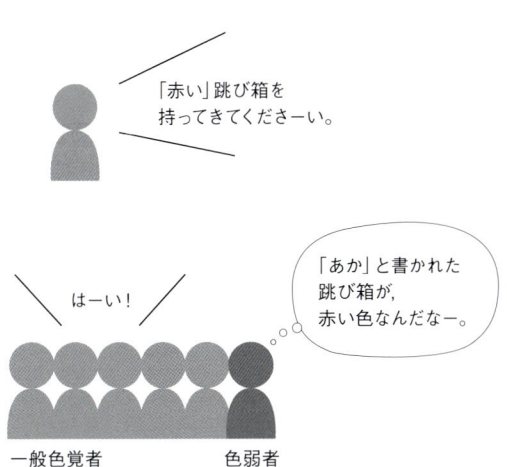

「赤い」跳び箱を持ってきてくださーい。

はーい！

「あか」と書かれた跳び箱が，赤い色なんだなー。

一般色覚者　　色弱者

身のまわりでも，CUDに配慮され，色名が付記されたものが増えている。

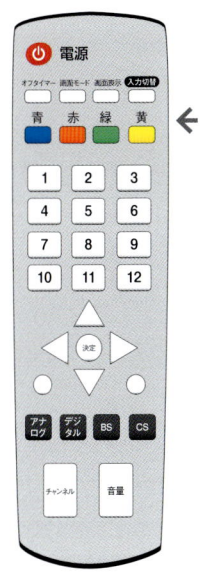

リモコンなど

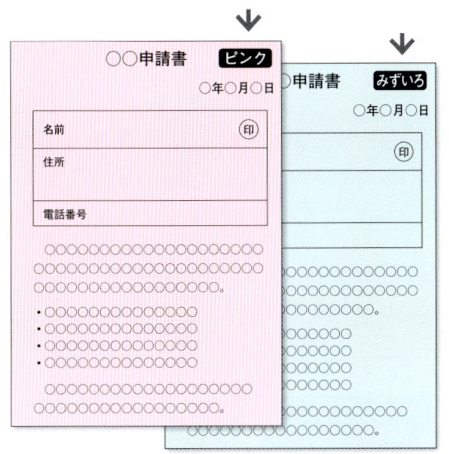

公共の申請書など

[淡色を使用する場合の工夫]

薄くて見分けにくい配色でも，同系の濃い色をつけたすと見分けやすくなる。

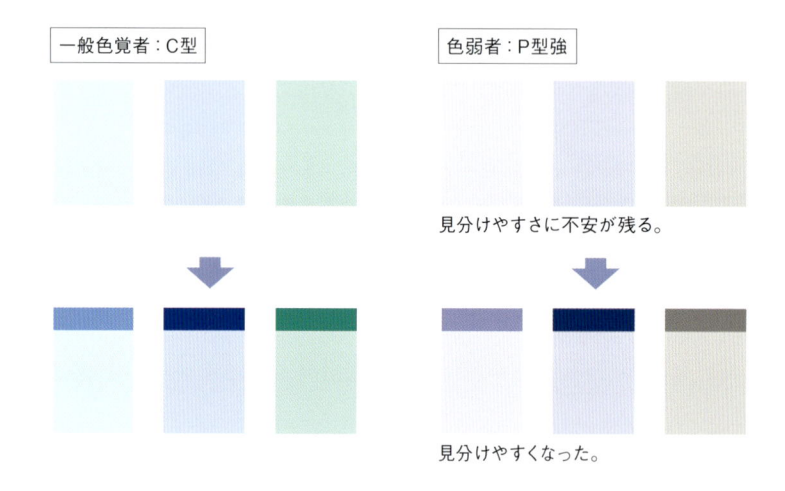

一般色覚者：C型

色弱者：P型強

見分けやすさに不安が残る。

見分けやすくなった。

[CUDO（クドー）とは]

CUDO＝Color Universal Design Organization（カラーユニバーサルデザイン機構）は，社会の色彩環境を多様な色覚をもつさまざまな人々にとって使いやすいものに改善することで，「人にやさしい社会づくり」を目ざすNPO法人です。

第 3 章

CUDの実践例

☐ P型・D型の強度と弱度

　実際には，P型・D型の強度と弱度では見え方に違いがありますが，強度の人に見分けやすい色の組み合わせは，弱度の人にも見分けやすくなります。このため，この本でのシミュレーションは，強度の特性を加味したもので行っています。

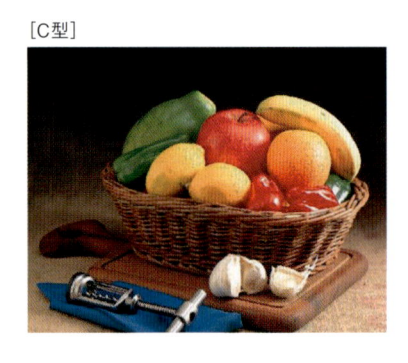

[C型]

[P型強]

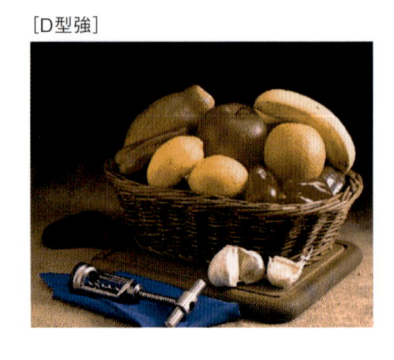

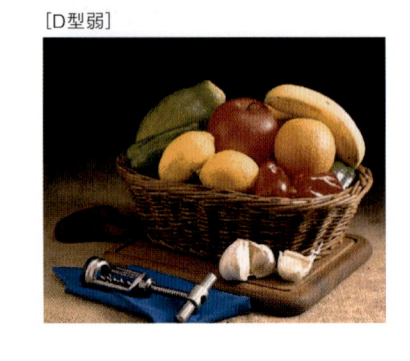

[D型強]

[P型弱]

[D型弱]

📖 この章の読み方

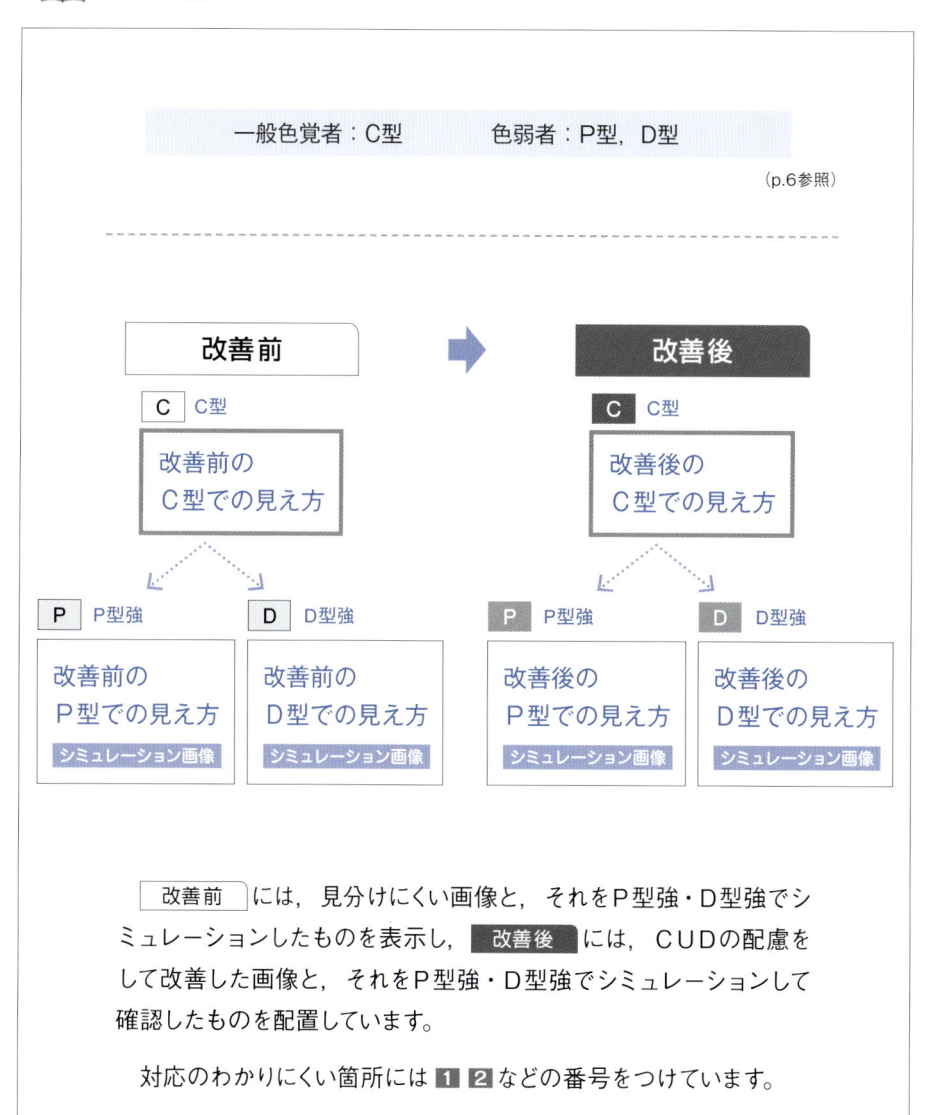

一般色覚者：C型　　色弱者：P型，D型

(p.6参照)

改善前 ➡ **改善後**

C C型
改善前の
C型での見え方

C C型
改善後の
C型での見え方

P P型強　　D D型強
改善前の　　　改善前の
P型での見え方　D型での見え方
シミュレーション画像　シミュレーション画像

P P型強　　D D型強
改善後の　　　改善後の
P型での見え方　D型での見え方
シミュレーション画像　シミュレーション画像

　改善前 には，見分けにくい画像と，それをP型強・D型強でシミュレーションしたものを表示し，**改善後** には，CUDの配慮をして改善した画像と，それをP型強・D型強でシミュレーションして確認したものを配置しています。

　対応のわかりにくい箇所には **1** **2** などの番号をつけています。

☐ 文字の彩色

| 改善前 | 強調色を濃い赤[1]やマゼンタ[2]にしている。 |

C

わり算の商[1]といいます。

わり算の商[2]といいます。

P 濃い赤[1]が黒のように見える。

わり算の商[1]といいます。

わり算の商といいます。

D マゼンタ[2]が黒のように見える。

わり算の商といいます。

わり算の商[2]といいます。

上記以外のポイント

a

強調色は，

✕ 濃い赤 ■ (M100, Y100)

✕ マゼンタ ■ (M100)

○ 赤橙(あかだいだい) ■ (M70〜80, Y100)

○ 青 ■ (C100, M10〜60)

b

フォントや大きさを変える，下線を引くなど，色以外の情報を併用する。

例：信号に**注意**する
　　信号に**注意**する
　　信号に注意する

線は文字から離す。

| 改善後 | 文字を太く，強調色は赤橙（あかだいだい）や明るい青にすると，すべての色覚で対応できる。 ⓐⓑ |

C

わり算の商といいます。

わり算の商といいます。

P

わり算の商といいます。

わり算の商といいます。

D

わり算の商といいます。

わり算の商といいます。

ⓐⓑ
ルビなどの小さく細い明朝系には極力，色をつけない。
色をつける場合は，ゴシックを使用するなど，見やすくなるよう配慮する。

× 注意 注意 注意
○ 注意 注意 注意

ⓐ
見分けがつく色でも，面積が小さくなると，見分けにくくなる。

C　　　　D

12345678　12345678

目次やインデックスの彩色 - Ⅰ

改善前 | オレンジ[1]と緑[3]，ピンク[2]と緑[3]が見分けにくい。

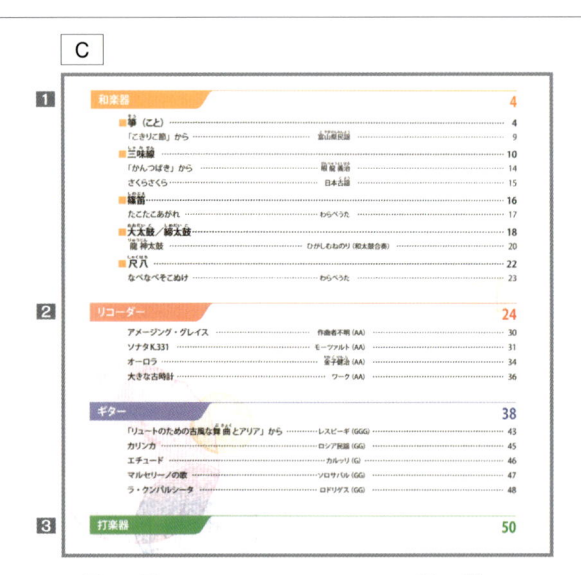

C

[1] 和楽器 4
　■ 箏（こと） 4
　　「こきりこ節」から .... 富山県民謡 ... 9
　■ 三味線 10
　　「かんつばき」から .... 篭童演奏 ... 14
　　さくらさくら .... 日本古謡 ... 15
　■ 篠笛 16
　　たこたこあがれ .... わらべうた ... 17
　■ 大太鼓／締太鼓 18
　　龍神太鼓 .... ひがしむねのり（和太鼓合奏） ... 20
　■ 尺八 22
　　なべなべそこぬけ .... わらべうた ... 23

[2] リコーダー 24
　　アメージング・グレイス .... 作曲者不明（AA）... 30
　　ソナタ K.331 .... モーツァルト（AA）... 31
　　オーロラ .... 菱子健治（AA）... 34
　　大きな古時計 .... ワーク（AA）... 36

ギター 38
　　「リュートのための古風な舞曲とアリア」から ... レスピーギ（GGG）... 43
　　カリンカ .... ロシア民謡（GG）... 45
　　エチュード .... カルッリ（G）... 46
　　マルセリーノの歌 .... ソロサバル（GG）... 47
　　ラ・クンパルシータ .... ロドリゲス（GG）... 48

[3] 打楽器 50

オレンジ[1]と緑[3]が
P　見分けにくい。

ピンク[2]と緑[3]が
D　見分けにくい。

38

改善後 | オレンジ，ピンク，緑の色を調整し，見分けられるようにした。 ⓐ

C

和楽器		4
■箏（こと）		4
「こきりこ節」から	富山県民謡	9
■三味線		10
「かんつばき」から	筝箏箏箏	14
さくらさくら	日本古謡	15
■篠笛		16
たたこがれ	わらべうた	17
■大太鼓／締太鼓		18
龍神太鼓	ひがしわねのり(和太鼓合奏)	20
■尺八		22
なべなべそこぬけ	わらべうた	23
リコーダー		24
アメージング・グレイス	作曲者不明 (AA)	30
ソナタ K.331	モーツァルト (AA)	31
オーロラ	菅谷健治 (AA)	34
大きな古時計	ワーク (AA)	36
ギター		38
「リュートのための古風な舞曲とアリア」から	レスピーギ (GGG)	43
カリンカ	ロシア民謡 (GG)	45
エチュード	カルッリ (G)	46
マルセリーノの歌	ソロサバル (GG)	47
ラ・クンパルシータ	ロドリゲス (GG)	48
打楽器		50

P

（Cと同内容の目次）

D

（Cと同内容の目次）

39

☐ 目次やインデックスの彩色 - Ⅱ

改善前 | 他章のインデックス 123 が淡色で見分けにくい。

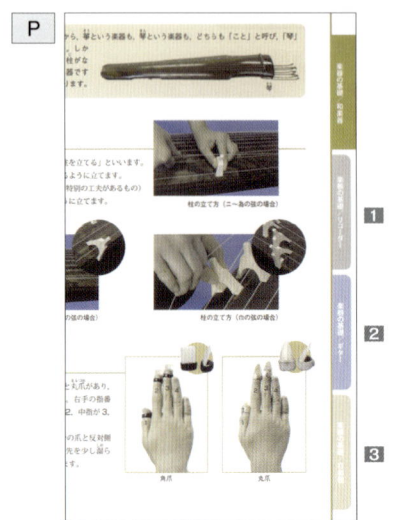

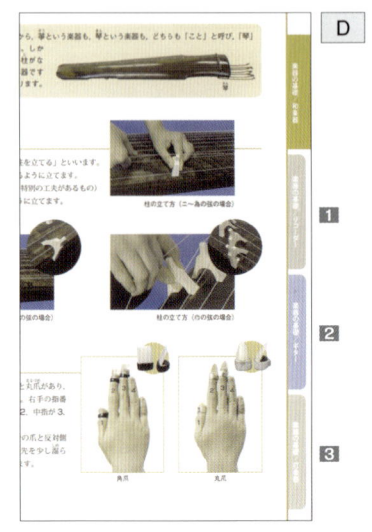

| 改善後 | 他章のインデックスをグレーや白にすることで構造的に見やすくした。

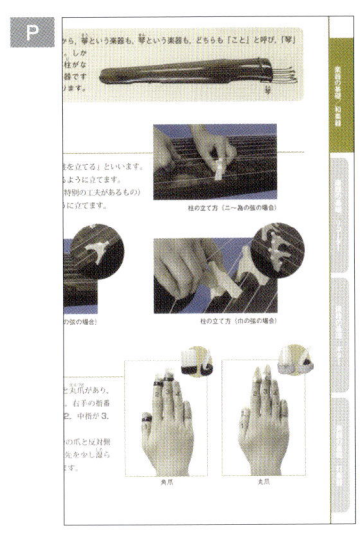

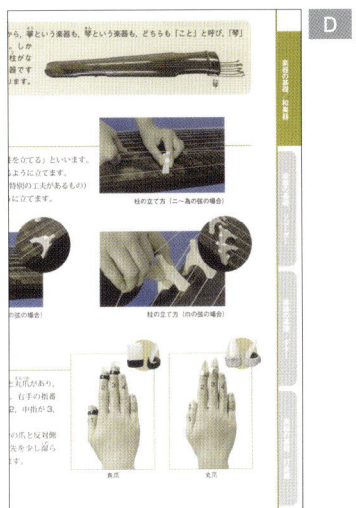

41

地図の彩色

改善前	オレンジと緑が見分けにくい。 凡例と対応する箇所がわからない。

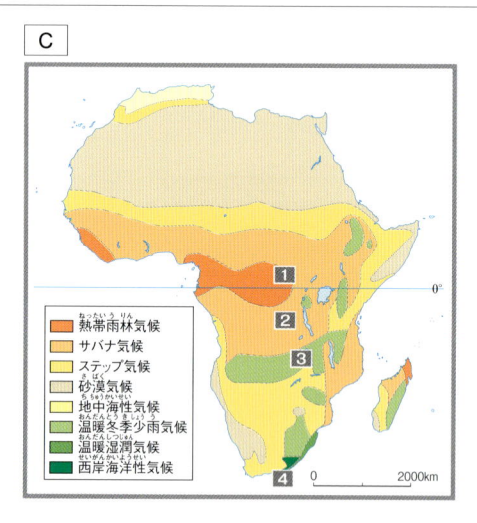

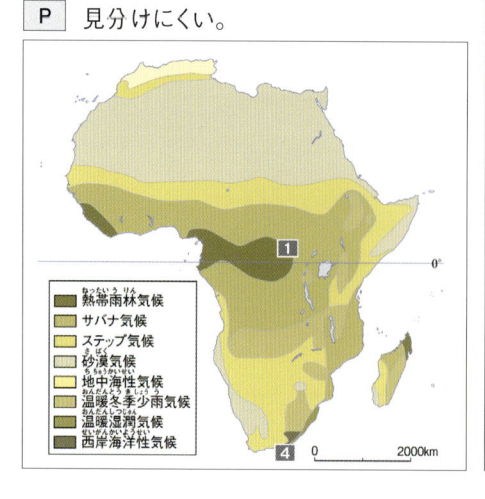

C

凡例:
- 熱帯雨林気候
- サバナ気候
- ステップ気候
- 砂漠気候
- 地中海性気候
- 温暖冬季少雨気候
- 温暖湿潤気候
- 西岸海洋性気候

0 2000km

P 濃いオレンジ[1]と濃い緑[4]が見分けにくい。

D 薄いオレンジ[2]と薄い緑[3]が見分けにくい。

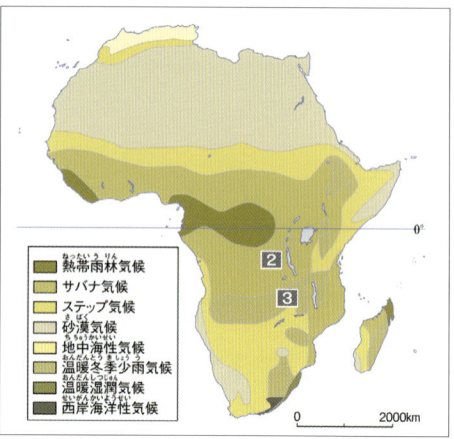

42

改善後 | 色を調整し，ハッチング処理を施した。凡例とも対応できるようにした。 ⓐⓑ

C

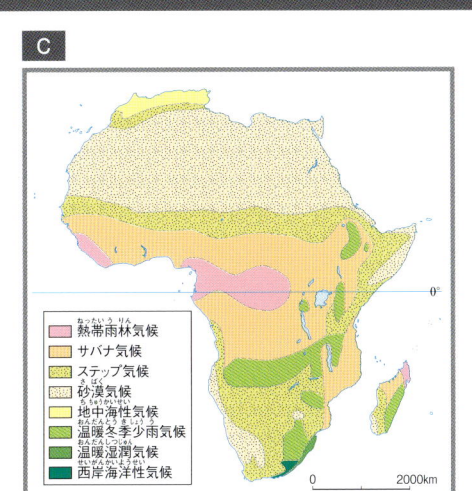

凡例:
- 熱帯雨林気候
- サバナ気候
- ステップ気候
- 砂漠気候
- 地中海性気候
- 温暖冬季少雨気候
- 温暖湿潤気候
- 西岸海洋性気候

P

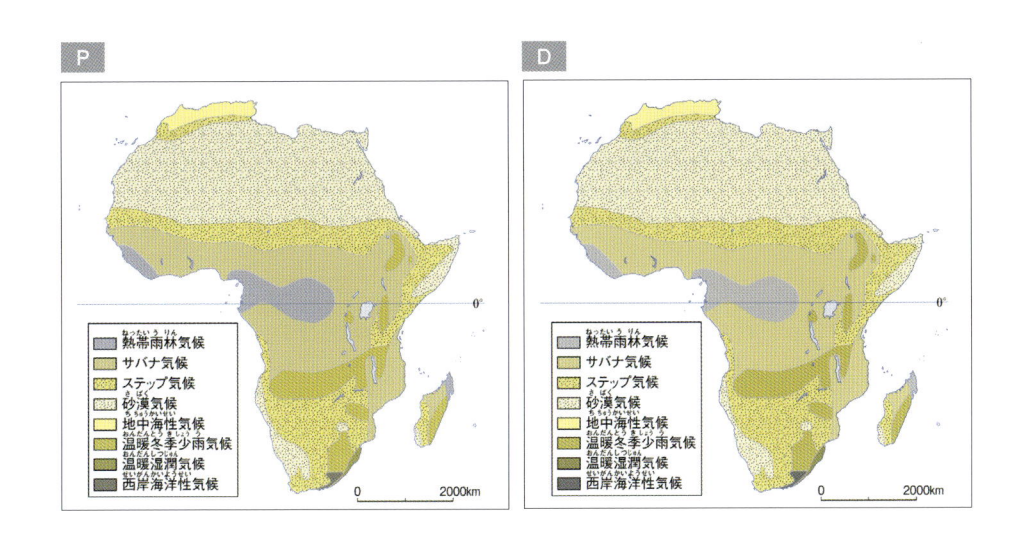

D

43

◯ 図形の彩色

改善前	色だけで長さの等しい辺や大きさの等しい角を表すと，配色によってはわかりにくくなる。

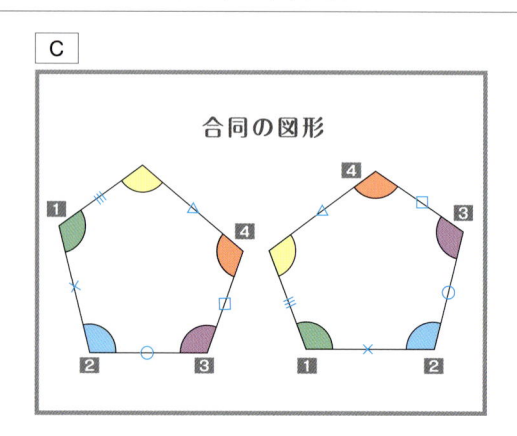

C

合同の図形

P 緑と橙がわかりにくい。

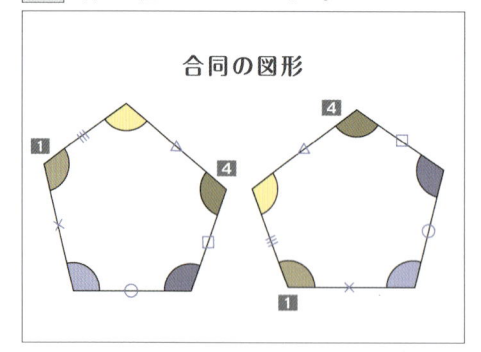

合同の図形

D 緑と橙，青と紫がわかりにくい。

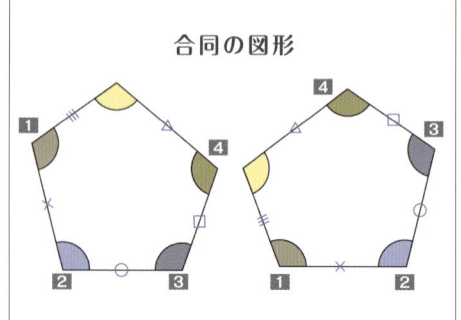

合同の図形

改善後 | 単色にし，色のかわりにマークなどで長さの等しい辺や大きさの等しい角がわかるようにした。

ⓑ

C

合同の図形

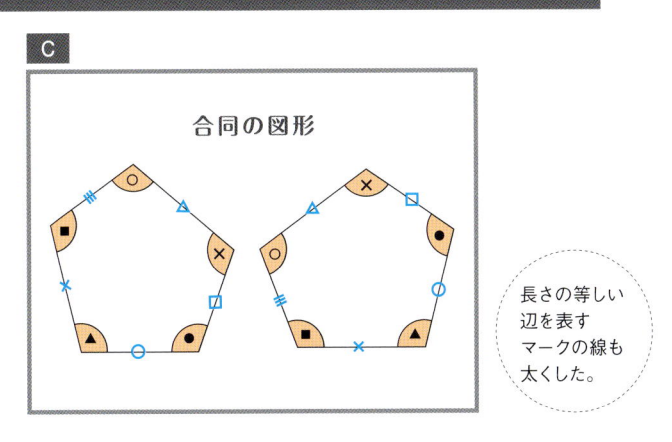

長さの等しい辺を表すマークの線も太くした。

P

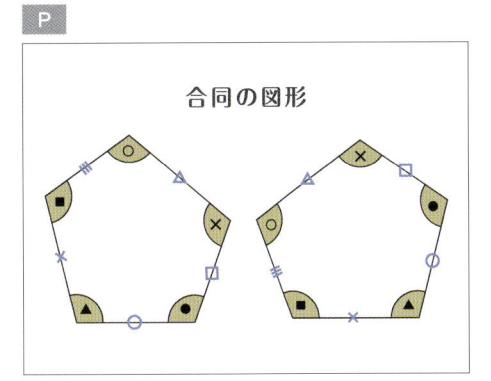

合同の図形

D

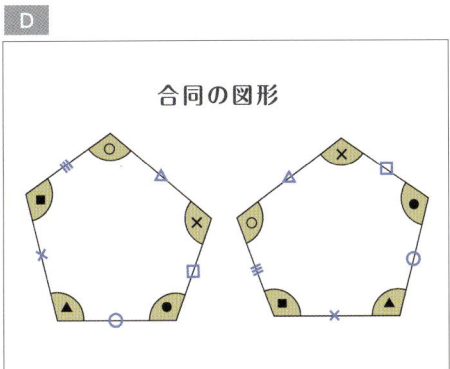

合同の図形

◯ グラフの彩色 - Ⅰ　円グラフ

| 改善前 | 淡色の組み合わせは見にくく，境界がわからない。 |

C

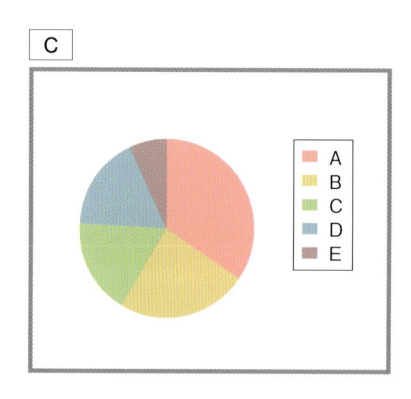

P　AとE，BとCの境目がわかりにくい。

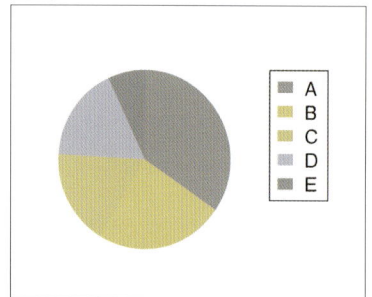

D　AとE，BとCの境目がわかりにくい。

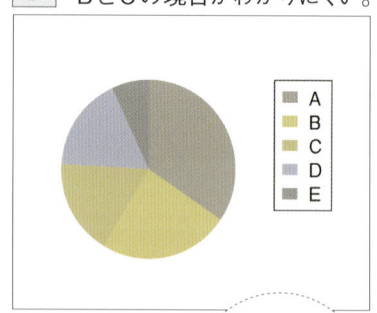

凡例が小さかったり，位置が離れたりしていると，読み取りにくい。

改善後 | **凡例を直接書き込んだり，色のコントラストをつけたり，境界線をたしたりした。** ⓐⓑ

C

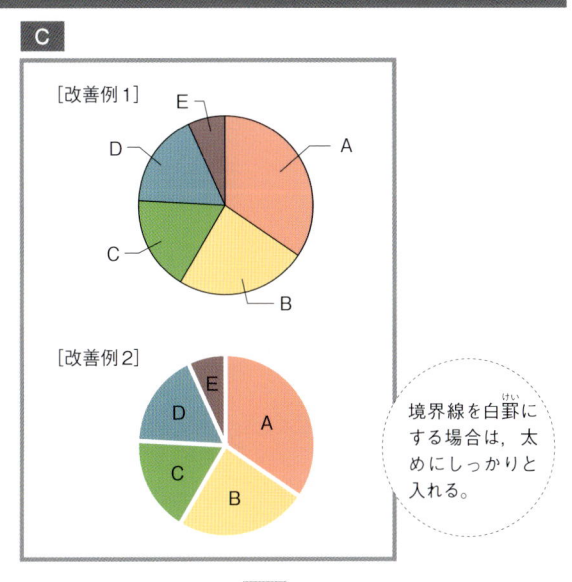

[改善例1]

[改善例2]

境界線を白罫にする場合は，太めにしっかりと入れる。

P

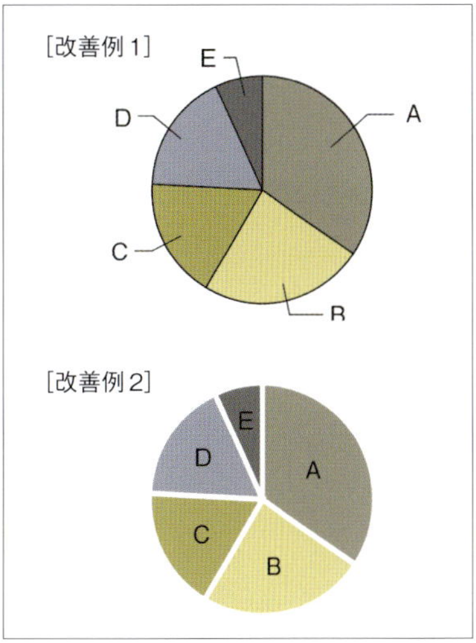

[改善例1]

[改善例2]

D

[改善例1]

[改善例2]

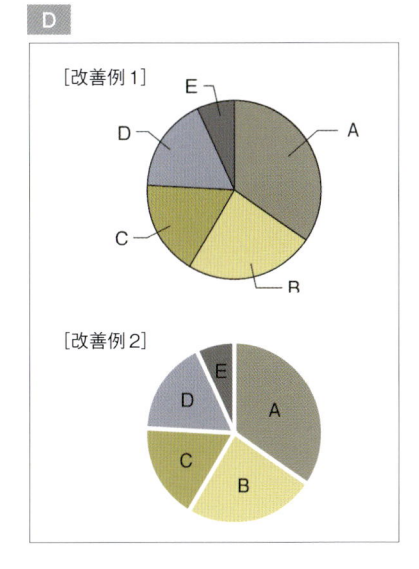

◯ グラフの彩色 - Ⅱ　帯グラフ

改善前	淡色の組み合わせは見にくく，境界がわからない。

C

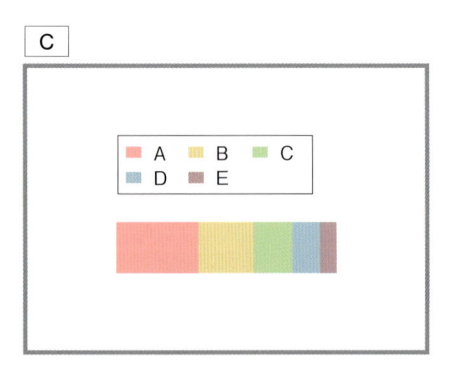

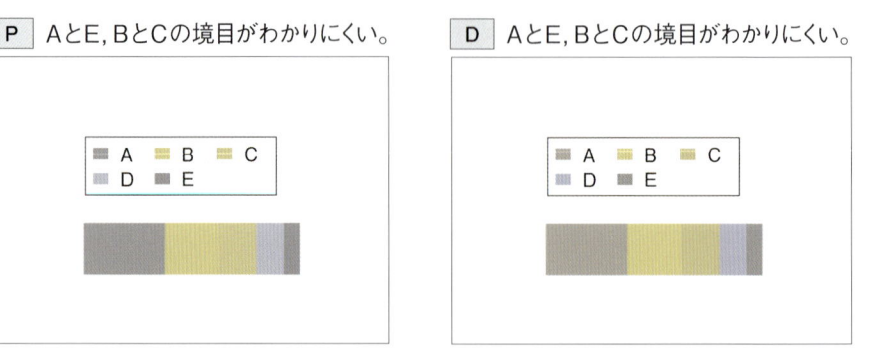

P	AとE，BとCの境目がわかりにくい。

D	AとE，BとCの境目がわかりにくい。

| 改善後 | 凡例を直接書き込んだり，色のコントラストをつけたり，境界線をたしたりした。 | a b |

C

[改善例1] A B C D E

[改善例2] A B C D E

P

[改善例1] A B C D E

[改善例2] A B C D E

D

[改善例1] A B C D E

[改善例2] A B C D E

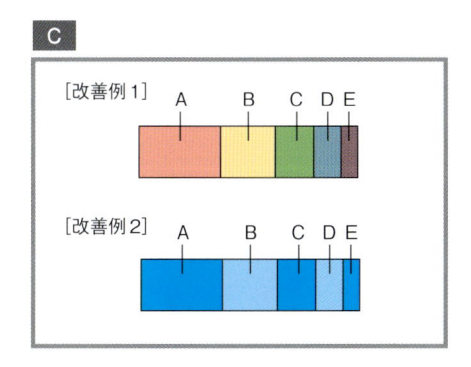

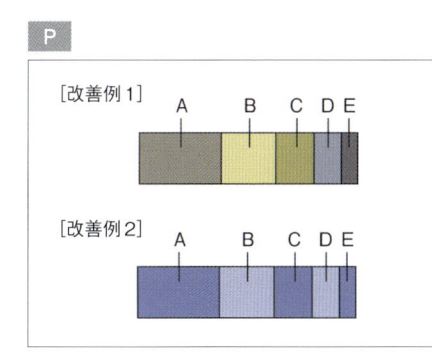

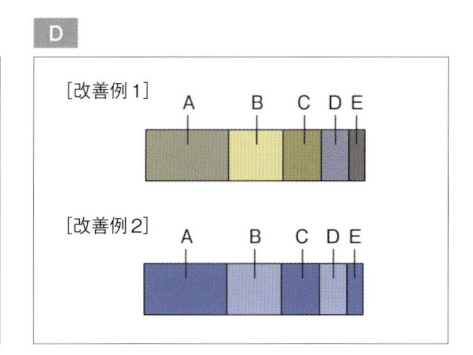

a

グラフを単色の濃淡で表す際は，「その他」の項目を白や薄いグレーなどで固定するとわかりやすい。同濃度の色が隣り合うのを防ぐこともできる。

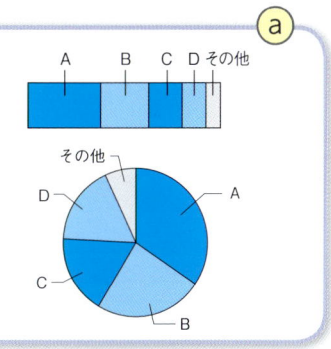

A B C D その他

その他 / D / C / B / A

◯ グラフの彩色 - Ⅲ　棒グラフと折れ線グラフ

| 改善前 | 折れ線が細く，棒グラフも隣接していて見分けにくい。 |

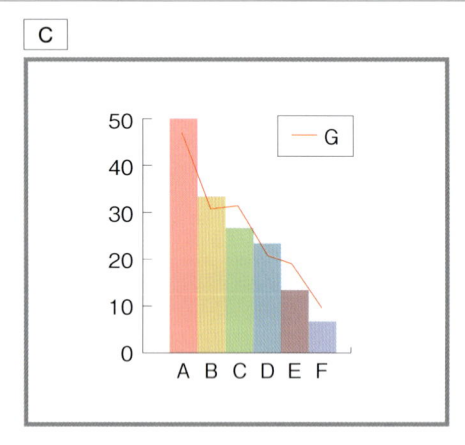

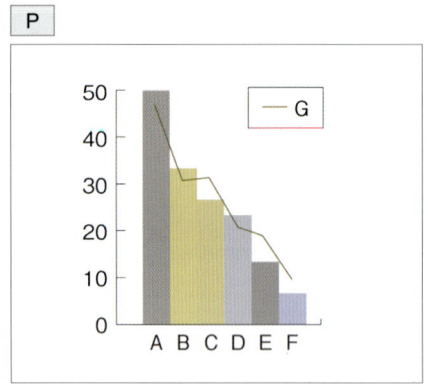

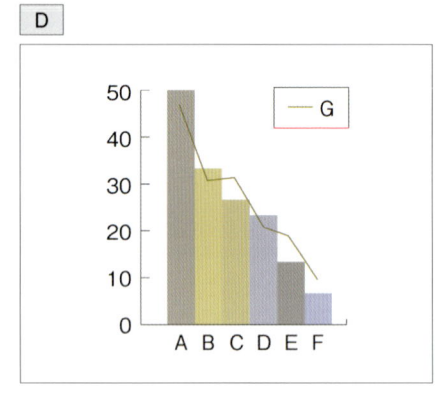

C

P

D

線に彩色したいときは，
0.4mm以上の線幅が望ましい。

線が図の上にあって見にくいときは，
白フチをつけると見やすくなる。

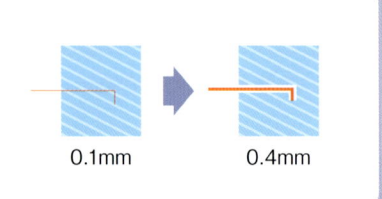

0.1mm　→　0.4mm

| 改善後 | **折れ線を太くし，ポイント（点）をつけ，棒グラフの間隔をあけた。** |

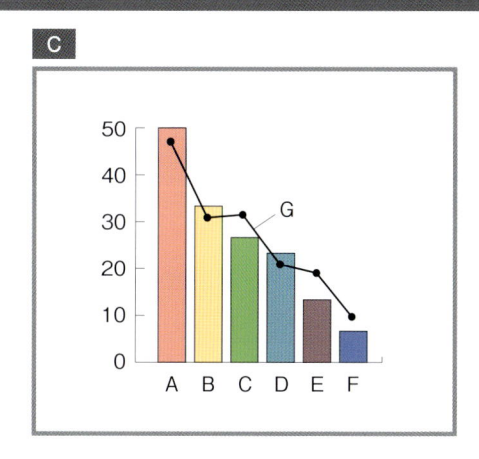

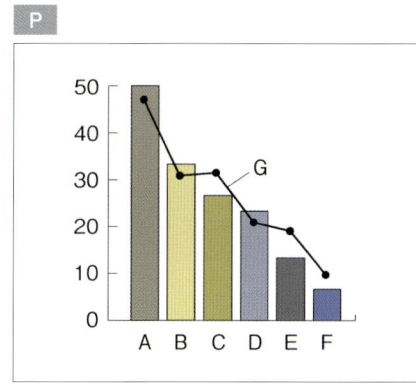

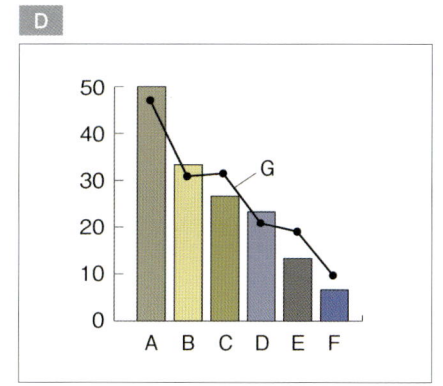

ⓑ

C

P

D

ⓐⓑ

2つ以上の数値が棒グラフにのるときは，ハッチングや濃淡で表すことができる。

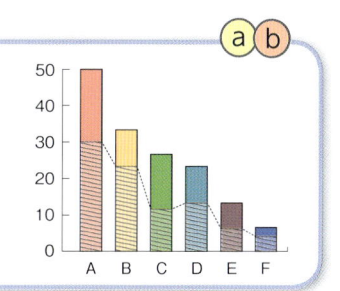

51

◻ グラフの彩色-Ⅳ　線グラフ

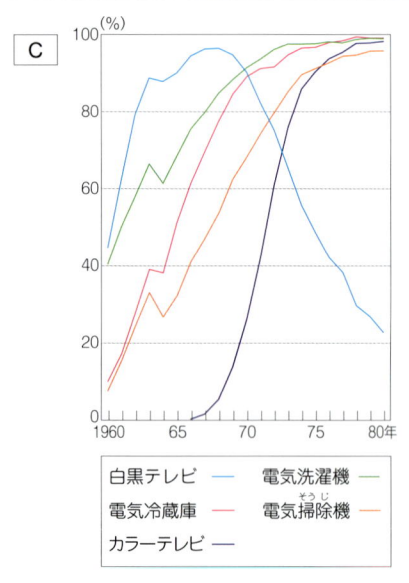

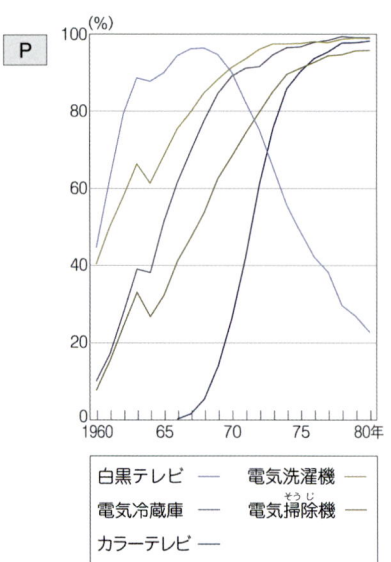

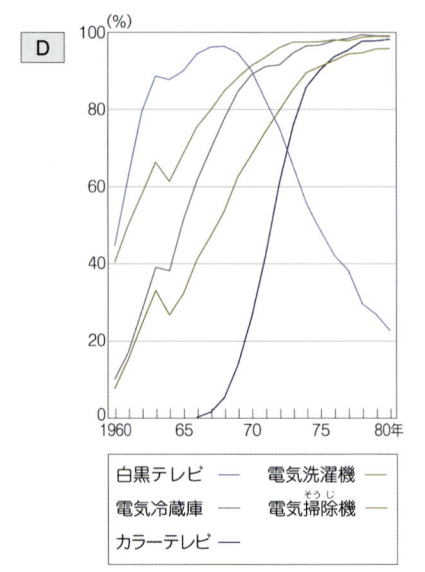

> **改善前**　凡例と折れ線が離れているので，色の対応ができない。線が細く，色もわかりにくい。

C

P

D

52

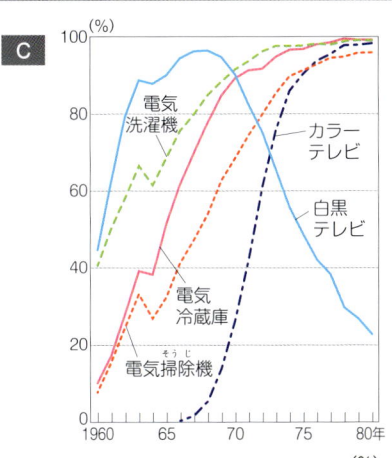

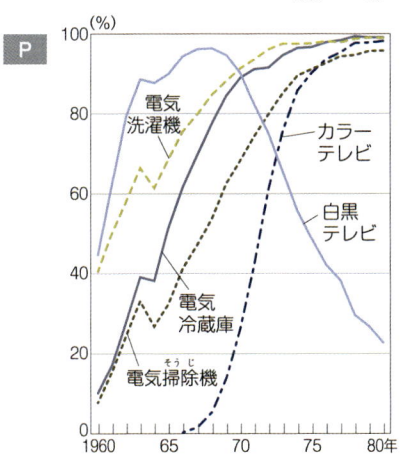

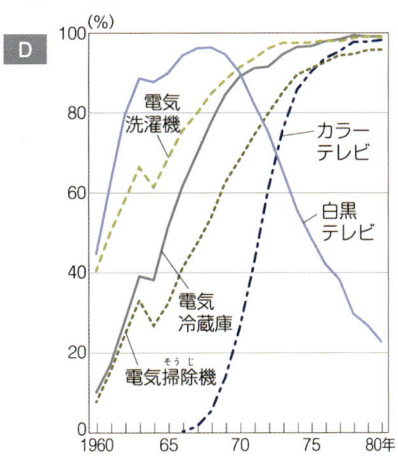

| 改善後 | 凡例を書き込んだ。線を太くし，線種を変更，色も調整した。|

C のグラフ：1960〜80年の主要家電普及率（電気洗濯機，カラーテレビ，白黒テレビ，電気冷蔵庫，電気掃除機）

P のグラフ／D のグラフ：同内容

凡例を別枠にする場合は，線幅を太くして色を見やすくし，色名を示してわかりやすくする。

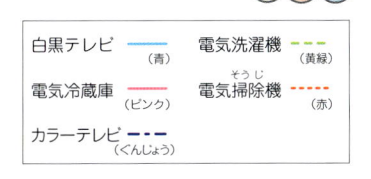

- 白黒テレビ（青）
- 電気洗濯機（黄緑）
- 電気冷蔵庫（ピンク）
- 電気掃除機（赤）
- カラーテレビ（ぐんじょう）

[公共物などを提示する場合]

規定された数値を使用していても，より見分けやすくする必要があるときは微調整する。

[撮影の際の注意]

　写真の撮影をする際には，見分けにくい色，見分けやすい色に注意して，見せたいものが背景に溶け込まないように配慮をする。
　また，場合によっては撮影後に，画像の補正をする。

上の写真の場合，リトマス試験紙の色の変化を見せるには，背景は白がよい。

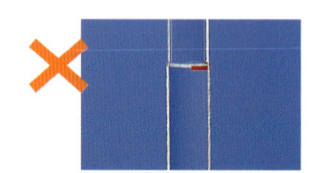

背景を薄くする，マークした線を明るく太くする，などの配慮が必要。

第4章
資料編

☐ 制作物を修正するとき

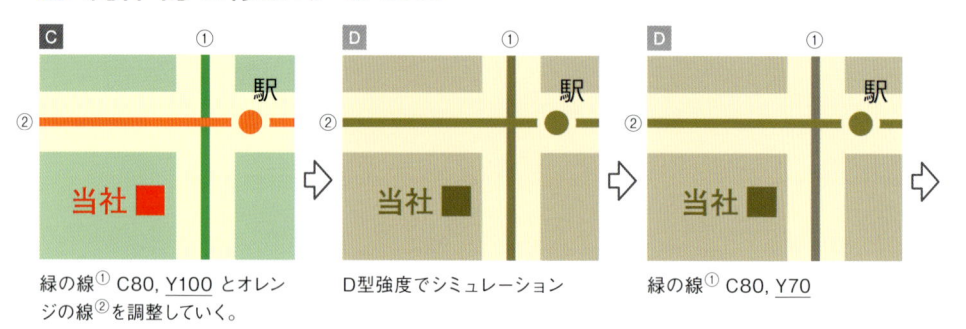

緑の線① C80, Y100 とオレンジの線②を調整していく。

D型強度でシミュレーション

緑の線① C80, Y70

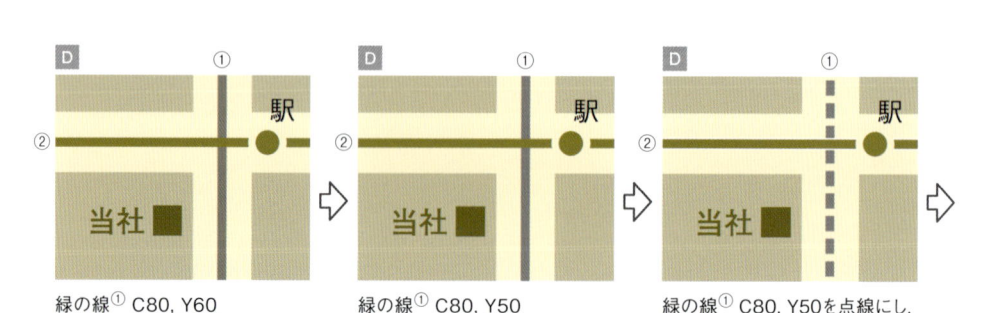

緑の線① C80, Y60

緑の線① C80, Y50

緑の線① C80, Y50を点線にし, 交差箇所には, オレンジの線②に白フチをつける。

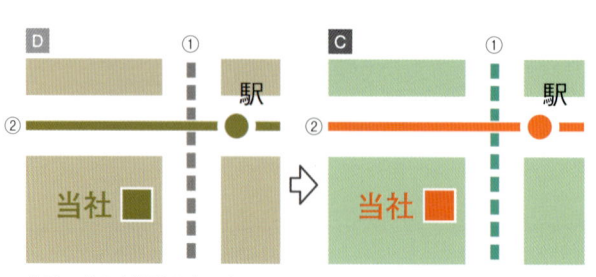

背景の大きな道路を白にする。「当社」のアイコンに白フチをつけ, 色をM100, Y100からより認識しやすいM80, Y100に変更した。

シミュレーションを解除したもの。

シミュレーション上での微妙な差異では実際には不十分なことが多い。なるべくはっきりと違いが出るまで調整する。

☐ シミュレーション方法
※色の見分けにくさを模擬するもので，色の見え方を再現するものではありません。

> 詳しくは各社公式サイトにてご確認ください。
> (2012年9月現在)

• 専用モニタ
FlexScan　　　　　　　　http://www.eizo.co.jp/products/lcd/

　EIZO 株式会社ナナオの，色覚シミュレーションソフトウェア「UniColor Pro」を搭載したモニタ「FlexScan」などは，画面上のアイコンをクリックするだけで各モードを瞬時に切り替えてシミュレーション表示することができます。モニター自体の表示を色変換するので，動画にも対応できます。

• 色弱模擬フィルタ
バリアントール　　　　　　　http://www.variantor.com/

　メガネやルーペ方式で，色弱者の見え方を擬似的に体験することができます。(詳しくはp.58を参照。)

• シミュレーション・ソフトウェア
CFUD・Uding　　　　　　　http://www.toyo-uding.com/

　東洋インキが無償配布しているツール。それぞれの色弱者の見分けにくい色をチェックしながら色の組み合わせを決めたり，配色したりできるソフトです。

ImageJ・VischeckJ　　http://rsb.info.nih-gov/ij/，http://www.vischeck.com/

　画像解析ソフト「ImageJ」とプラグイン「VischeckJ」(ともに無料)を組み合わせることにより，シミュレーション画像が作成できます。

Adobe Photoshop・Illustrator　　http://www.adobe.com/jp/ 内で「CUD」と検索

　CS4以降のAdobe Photoshop，Illustratorでは「表示」-「校正設定」でP型・D型のシミュレーションができるようになりました。(※CUDソフトプルーフ機能)

　さらにPhotoshopでは，そのカラープロファイルを埋め込んだPDFを作成したり，プリントしたりすることができます。Photoshopでシミュレーションしたあとプリントする際は，プリントダイアログのカラーマネジメントで「校正」にチェック，PDFにする際は「別名保存」でPDFを選択し，「校正設定を使用」にチェックを入れてください。

☐ チェック方法

1 目視

　内容によっては，C型が目視で確認できる。例えば，凡例を使わずに地図中に直接，文字や記号を書き込んだほうがよい，色と色の間にフチどりをしたほうがよい，など。

2 白黒コピー

　白黒コピーして判別性を確認する。めだたせたい箇所が埋もれていないか，色差に頼った情報伝達になっていないか，など。

3 シミュレーションツール

　複雑な色づかいをしている場合などは，シミュレーションツールを利用して問題が起きていないか確認する。

4 色弱者による評価確認

　可能であれば，色弱者による評価確認を行うとよい。

● **色弱模擬フィルタ「バリアントール」**

　色弱者が感じる色の見分けにくさを一般色覚者が体験する，特殊フィルタです。フィルタの特性には，P・D複合型，P・D個別型の2種類があり，形状には，メガネタイプとルーペタイプの2種類，計4種類があります。P・D個別型のルーペタイプは，(財)日本学校保健会の学校保健用品にも推薦されています。

　コンピュータ上ではなく，実際に印刷物をシミュレーション・チェックすることが可能です。

　なお，使用環境（太陽光，蛍光灯，電球など）の違いによっても色の見え方は異なるので，実際に使用する環境でチェックしましょう。

※色の見え方（何色に見えているか）を再現するものではありません。

メガネタイプ

ルーペタイプ

カラーユニバーサルデザインチェックリスト

a 色の選び方・組み合わせ方
- ☐ 情報として必要な色の面積が十分確保されている。(線や文字の太さ)
- ☐ 淡い色どうしを組み合わせていない。
- ☐ 彩度の高い色どうし，または濃い色と淡い色とが組み合わされている。
- ☐ 暖色系と寒色系，明るい色と暗い色で対比させている。
- ☐ 背景色と文字の色にははっきりとした明度差があり，識別しやすい。
- ☐ 強調色として濃い赤やマゼンタを使わず，赤橙(あかだいだい)やオレンジ系が使われている。
- ☐ 濃い緑と混同色の赤や茶色を同時に使用していない。
- ☐ 黄緑と混同色の黄色が同時に使われていない。
- ☐ ピンクと混同色の水色を同時に使用していない。

b 色以外の工夫
- ☐ 色以外の手段でも情報が得られる工夫がされている。
- ☐ 色の塗り分けには，ハッチング処理が併用されている。
- ☐ 色と色の境には白や黒で輪郭線を入れて，色どうしの混同を防いでいる。
- ☐ 図やグラフなどで線に色をつける場合には，線種を変えたり太さを変えたりする工夫が併用されている。
- ☐ 図やグラフには可能なかぎり，凡例ではなく直接説明が書かれている。

c 色名を用いたコミュニケーション
- ☐ 色によるコミュニケーションが予想される場合，色名が表記されている。
- ☐ 読み手が理解しやすい色名が表記されている。

総論
- ☐ 複数の手段でチェックしている。(目視・白黒コピー・シミュレーションツール・色弱者による評価確認)
- ☐ 一般色覚者にも，色弱者にも，見やすいデザインになっている。
- ☐ 色弱者が情報を認識できなかったり，一般色覚者より認識するのに時間を要したりするものがない。

☐ 代表的な見分けにくい色のシミュレーション例

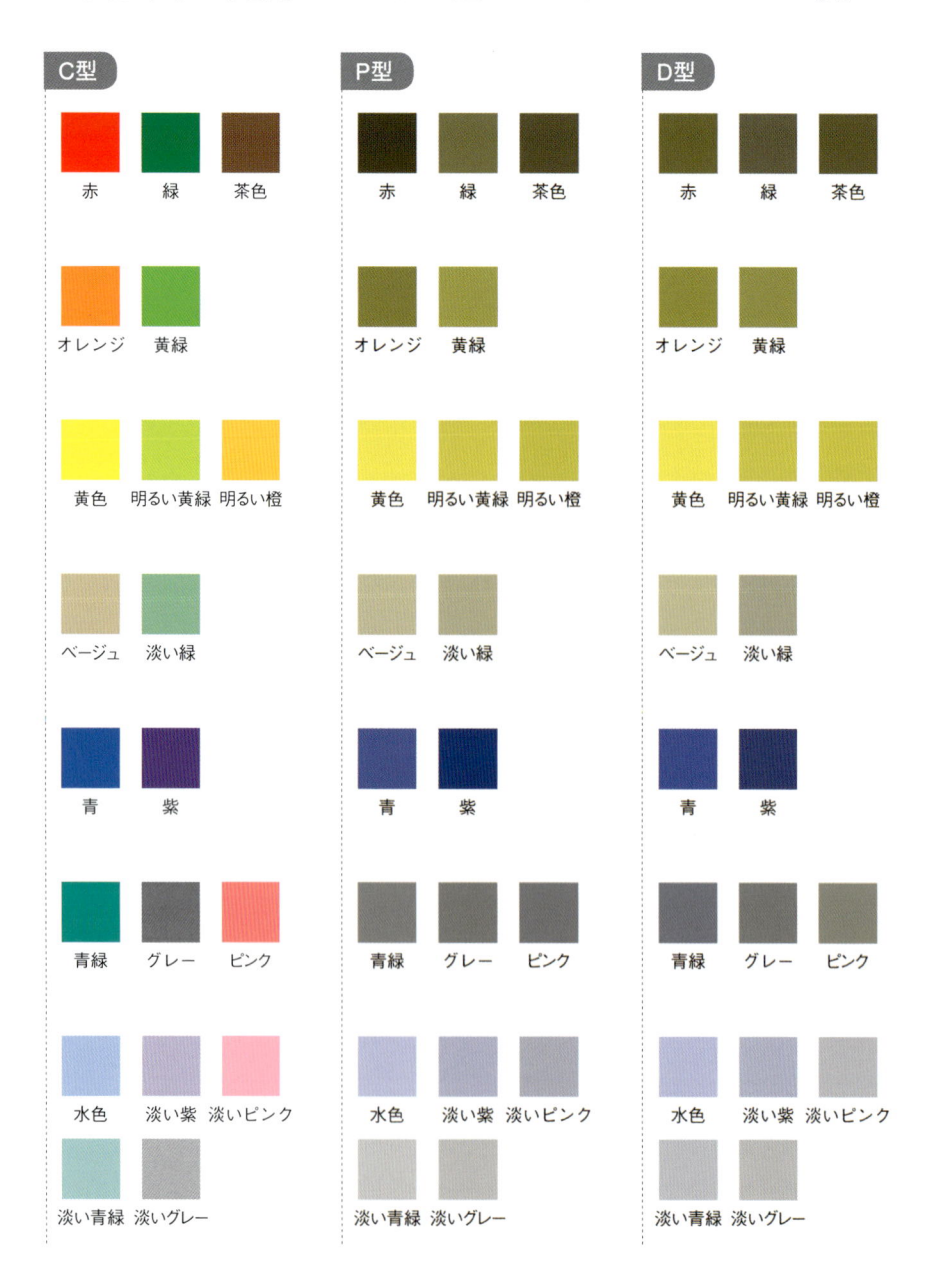

C型

赤	緑	茶色

オレンジ	黄緑

黄色	明るい黄緑	明るい橙

ベージュ	淡い緑

青	紫

青緑	グレー	ピンク

水色	淡い紫	淡いピンク

淡い青緑	淡いグレー

P型

赤	緑	茶色

オレンジ	黄緑

黄色	明るい黄緑	明るい橙

ベージュ	淡い緑

青	紫

青緑	グレー	ピンク

水色	淡い紫	淡いピンク

淡い青緑	淡いグレー

D型

赤	緑	茶色

オレンジ	黄緑

黄色	明るい黄緑	明るい橙

ベージュ	淡い緑

青	紫

青緑	グレー	ピンク

水色	淡い紫	淡いピンク

淡い青緑	淡いグレー

☐ カラーユニバーサルデザイン推奨配色セット

アクセントカラー
(C, M, Y, K)

- 赤　0, 75, 95, 0
- 黄色　0, 0, 100, 0
- 緑　75, 0, 65, 0
- 青　100, 45, 0, 0
- 空色　55, 0, 0, 0
- ピンク　0, 55, 35, 0
- オレンジ　0, 45, 100, 0
- 紫　30, 95, 0, 0
- 茶　55, 90, 100, 0

ベースカラー
(C, M, Y, K)

- 明るいピンク　0, 25, 15, 0
- クリーム　0, 0, 40, 0
- 明るい黄緑　25, 0, 80, 0
- 明るい空色　30, 0, 0, 0
- ベージュ　0, 25, 45, 0
- 明るい緑　45, 0, 45, 0
- 明るい紫　25, 30, 0, 0

無彩色
(C, M, Y, K)

- 白　0, 0, 0, 0
- 明るいグレー　15, 10, 10, 0
- グレー　18, 10, 0, 55
- 黒　50, 50, 50, 100

実際のデータや詳細は下記のサイトよりご覧いただけます。

東京大学　分子細胞生物学研究所
http://jfly.iam.u-tokyo.ac.jp/colorset/

☐ 可読性の高い配色例

※ T – 文字色のC, M, Y, K
　B – 背景色のC, M, Y, K

CUD T – 0, 0, 0, 100 / B – 0, 0, 0, 0	**CUD** T – 0, 0, 0, 0 / B – 0, 0, 0, 100	**CUD** T – 0, 74, 100, 73 / B – 0, 44, 17, 8	**CUD** T – 0, 100, 59, 88 / B – 0, 45, 49, 3
CUD T – 100, 100, 0, 25 / B – 0, 9, 68, 6	**CUD** T – 62, 0, 88, 87 / B – 46, 0, 74, 0	**CUD** T – 78, 100, 0, 50 / B – 50, 0, 41, 1	**CUD** T – 86, 0, 25, 60 / B – 53, 0, 20, 0
CUD T – 100, 100, 0, 25 / B – 40, 20, 0, 0	**CUD** T – 86, 0, 80, 60 / B – 21, 38, 0, 0	**CUD** T – 100, 100, 0, 25 / B – 0, 0, 0, 30	**CUD** T – 0, 20, 0, 0 / B – 0, 51, 20, 41
CUD T – 20, 0, 0, 0 / B – 0, 45, 47, 44	**CUD** T – 100, 100, 0, 25 / B – 0, 9, 57, 43	**CUD** T – 0, 0, 60, 0 / B – 41, 0, 62, 46	**CUD** T – 20, 0, 30, 0 / B – 70, 0, 60, 30
CUD T – 0, 86, 25, 80 / B – 58, 0, 28, 30	**CUD** T – 0, 10, 100, 0 / B – 57, 33, 0, 30	**CUD** T – 0, 10, 70, 0 / B – 24, 41, 0, 38	**CUD** T – 0, 9, 68, 6 / B – 0, 0, 0, 70
CUD T – 0, 0, 0, 0 / B – 0, 100, 85, 24	**CUD** T – 100, 100, 0, 25 / B – 0, 69, 87, 0	**CUD** T – 88, 74, 0, 0 / B – 0, 24, 100, 2	**CUD** T – 0, 0, 40, 0 / B – 63, 0, 100, 4
CUD T – 0, 20, 0, 0 / B – 95, 0, 92, 0	**CUD** T – 0, 9, 68, 6 / B – 97, 0, 23, 13	**CUD** T – 0, 0, 0, 0 / B – 88, 74, 0, 0	**CUD** T – 30, 0, 60, 0 / B – 62, 90, 0, 3
CUD T – 0, 30, 30, 3 / B – 0, 100, 59, 88	**CUD** T – 0, 9, 68, 6 / B – 0, 74, 100, 73	**CUD** T – 30, 0, 40, 0 / B – 24, 0, 91, 80	**CUD** T – 0, 30, 10, 3 / B – 40, 0, 60, 75
CUD T – 0, 0, 0, 30 / B – 86, 0, 80, 60	**CUD** T – 0, 9, 68, 6 / B – 86, 0, 25, 60	**CUD** T – 40, 0, 0, 0 / B – 100, 100, 0, 25	**CUD** T – 20, 30, 0, 0 / B – 78, 100, 0, 50

❏ その他の参考例

インデックス

✕

	ABCDEFG	ABCDEFG	ABCDEFG	ABCDEFG	ABCDEFG
	ABCDEFG	**ABCDEFG**	**ABCDEFG**	**ABCDEFG**	**ABCDEFG**
C	15	100	80	—	60
M	100	80	—	80	15
Y	100	—	100	100	—

◯

	ABCDEFG	ABCDEFG	ABCDEFG	ABCDEFG	ABCDEFG
	ABCDEFG	**ABCDEFG**	**ABCDEFG**	**ABCDEFG**	**ABCDEFG**
C	—	100	80	(テキストのみ —	60
M	80	80	—	+M10) 50	15
Y	100	—	65	100	—

見出し

	Part.1	Part.2	Part.3	Part.4	Part.5
C	60	—	60	—	50
M	—	20	—	50	70
Y	—	100	40	50	—

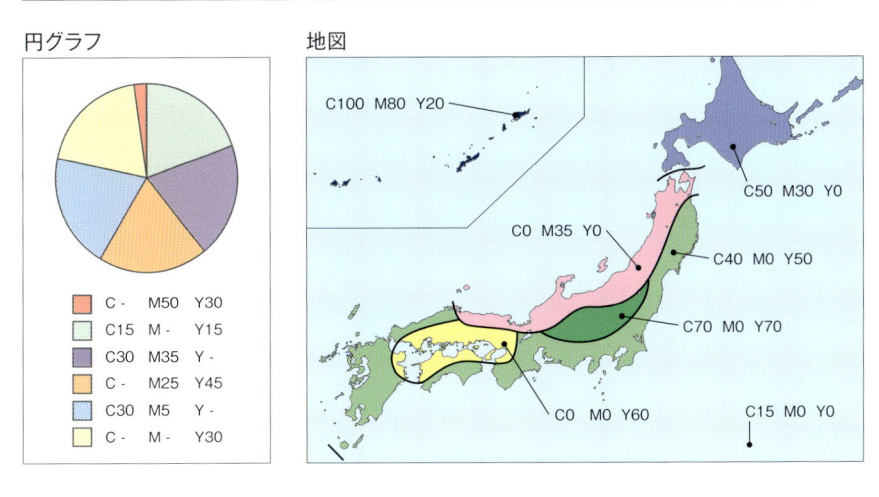

円グラフ

C -   M50 Y30
C15 M -   Y15
C30 M35 Y -
C -   M25 Y45
C30 M5   Y -
C -   M -   Y30

地図

C100 M80 Y20
C50 M30 Y0
C0 M35 Y0
C40 M0 Y50
C70 M0 Y70
C0 M0 Y60
C15 M0 Y0

63

〔参考文献〕
「how to use Variantor」
大平印刷株式会社，伊藤光学工業株式会社／発行　宮沢徹（日本眼科医会）／指導

「カラーユニバーサルデザインガイドブック」
福島県生活環境部人権男女共生課／発行　NPO法人カラーユニバーサルデザイン機構／監修

「カラーユニバーサルデザインガイドライン 人にやさしい暮らしづくり」
石川県工業試験場，金沢美術工芸大学，NPO法人カラーユニバーサルデザイン機構／発行

「カラーバリアフリーサインマニュアル」
神奈川県保健福祉部地域保健福祉課／発行　NPO法人カラーユニバーサルデザイン機構／監修

「Educo 2011年4月 臨時増刊号　カラーユニバーサルデザイン特集」
教育出版株式会社／発行

〔写真協力〕
大平印刷株式会社
豊橋技術科学大学 中内茂樹研究室

カラーユニバーサルデザインの手引き

2012年10月23日　初版第1刷発行
2022年11月30日　初版第3刷発行

編著：教育出版 CUD事務局
監修：NPO法人 カラーユニバーサルデザイン機構（CUDO）
発行：教育出版株式会社
　　　〒135-0063 東京都江東区有明3-4-10 TFTビル西館
　　　TEL 03-5579-6725　FAX 03-5579-6693

装丁　ユニット
印刷　三美印刷
製本　上島製本

Printed in Japan
落丁本・乱丁本はお取り替えいたします。

ISBN978-4-316-80373-9